Владимир Познер

ИХ ИТАЛИЯ

Путешествие-размышление «по сапогу»

АСТ
Москва

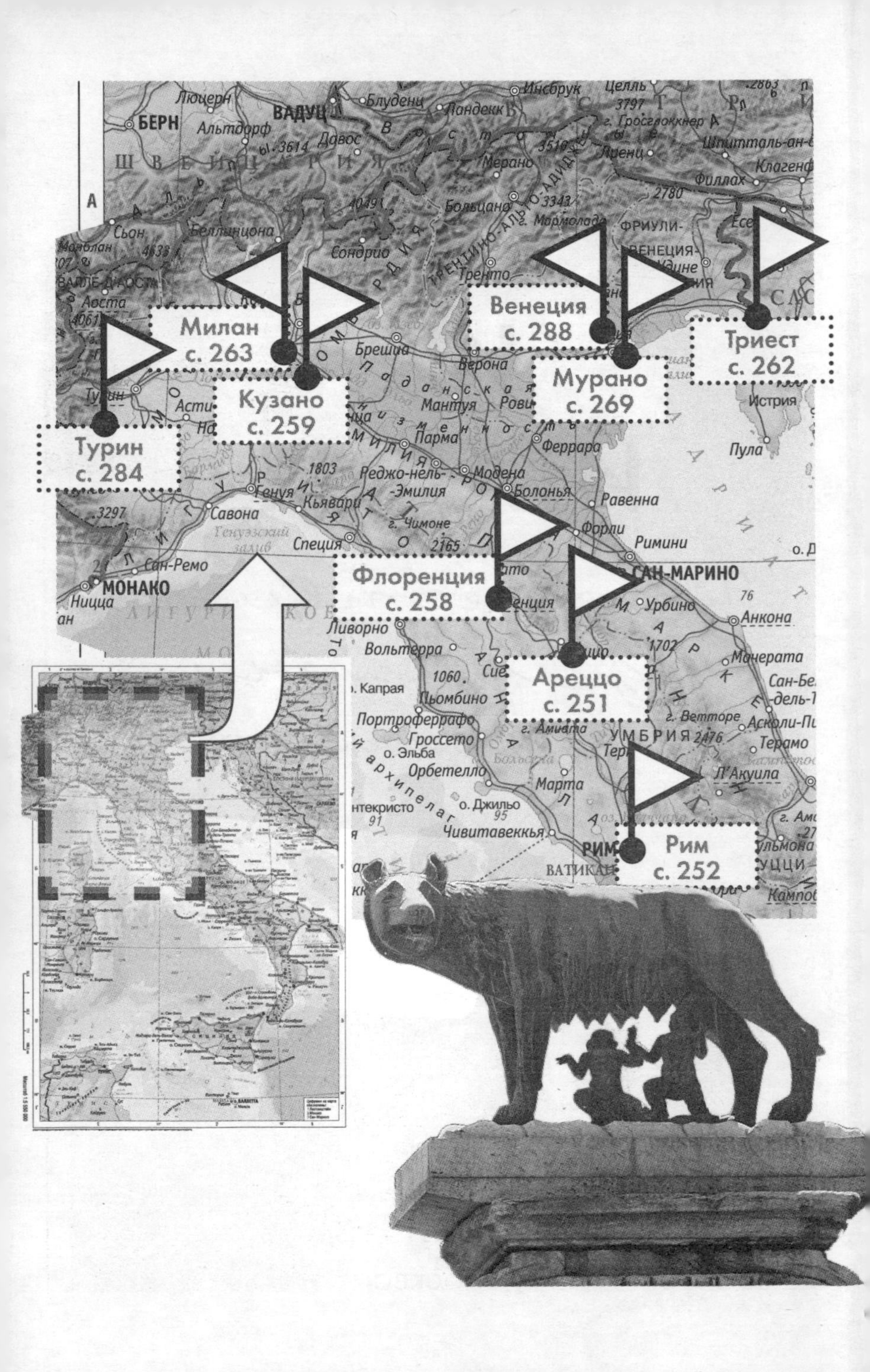

Милан
с. 263
Кузано
с. 259
Турин
с. 284
Венеция
с. 288
Мурано
с. 269
Триест
с. 262
Флоренция
с. 258
Ареццо
с. 251
Рим
с. 252

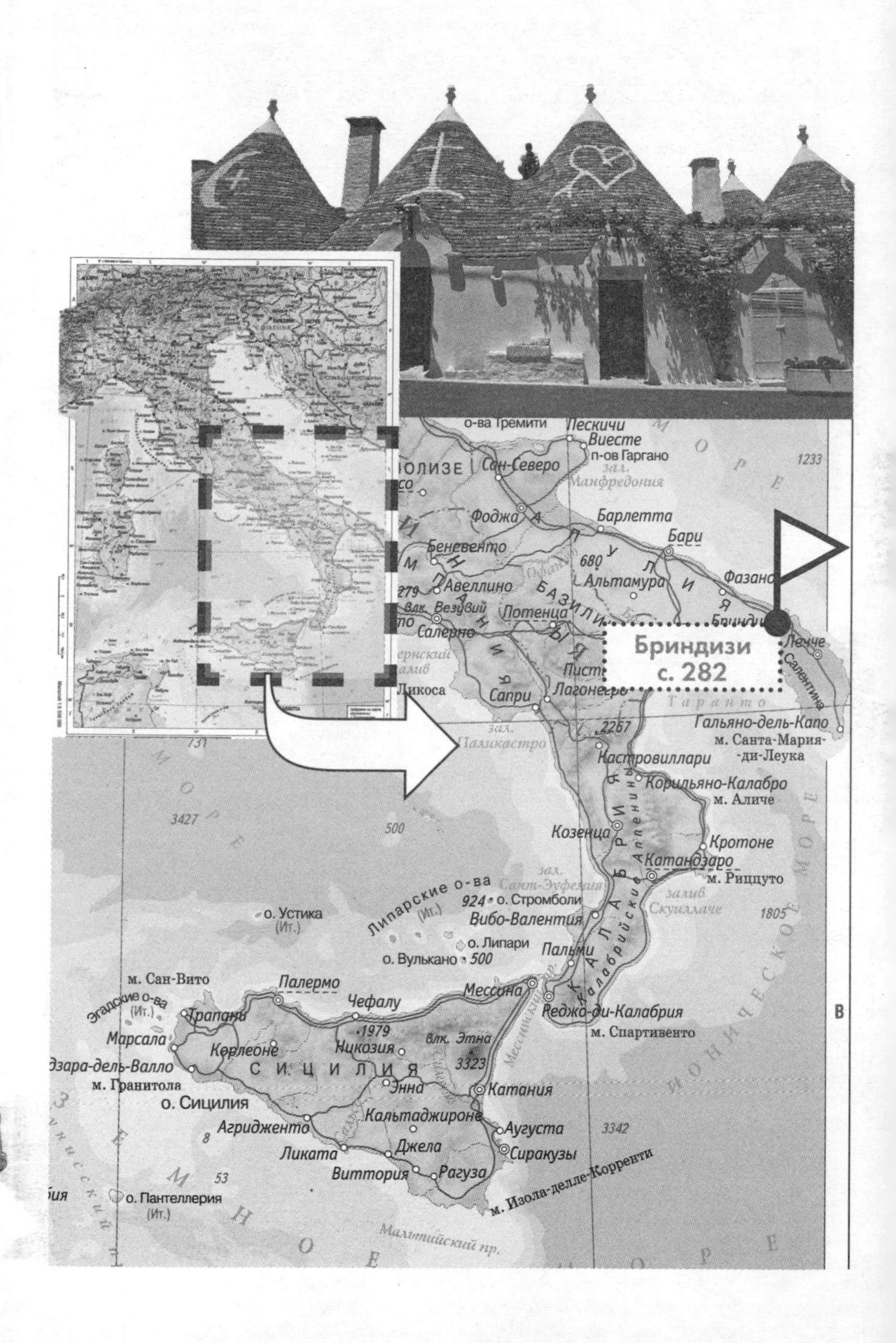

Бриндизи
с. 282
о-ва Тремити
Пескичи
Виесте
п-ов Гаргано
зал.
Манфредония
Сан-Северо
МОЛИЗЕ
Фоджа
Барлетта
Бари
Беневенто
680
Альтамура
Фазано
Авеллино
вlk. Везувий
Потенца
Салерно
БАЗИЛИКАТА
АПУЛИЯ
КАМПАНИЯ
Леччe
Салентина
Пист
Лагонегро
Сапри
Ликоса
Таранто
Гальяно-дель-Капо
м. Санта-Мария-
-ди-Леука
зал.
Поликастро
2267
Кастровиллари
Корильяно-Калабро
м. Аличе
Козенца
Кротоне
Катандзаро
м. Рицциуто
зал.
Сант-Эуфемия
залив
Скуиллаче
Калабрийские Апеннины
КАЛАБРИЯ
Липарские о-ва
(Ит.)
924
о. Стромболи
о. Устика
(Ит.)
Вибо-Валентия
о. Липари
о. Вулкано
500
Пальми
м. Сан-Вито
Палермо
Мессина
Эгадские о-ва
(Ит.)
Трапани
Чефалу
Реджо-ди-Калабрия
м. Спартивенто
Марсала
1979
Корлеоне
Никозия
влк. Этна
3323
Мессинский пр.
Мазара-дель-Валло
СИЦИЛИЯ
м. Гранитола
Энна
Катания
о. Сицилия
Агридженто
Кальтаджироне
Аугуста
3342
Ликата
Джела
Сиракузы
Виттория
Рагуза
м. Изола-делле-Корренти
о. Пантеллерия
(Ит.)
Мальтийский пр.
ИОНИЧЕСКОЕ МОРЕ
1233
1805
3427
500
731
8
53
В

ОБЪЯСНЕНИЕ

«Почему “их” Италия?» — спрашивают. Объясняю.

Документальный телевизионный сериал об Италии возник в какой-то степени случайно, в отличие от «Одноэтажной Америки» и «Тур де Франс». Что касается первого, то я лет двадцать пять мечтал о том, чтобы повторить путешествие Ильи Ильфа и Евгения Петрова, которое они совершили в 1935–1936 годах, но не с блокнотом в руках, а с телевизионной камерой. Я хотел в некоторой степени «открыть Америку» для российского зрителя, сделав честный, непредвзятый фильм о стране, в которой я рос, о стране, которую я люблю, о стране, которую я довольно хорошо знаю. Так что тут все было ясно.

После успеха «Одноэтажной...» (а успех был ошеломляющий) логичным казалось попытаться повторить его. Я родился в Париже, моя мама была француженкой, дома мы говорили только по-французски, и я люблю Францию. Фильм о Франции для меня в этом контексте — самое очевидное. Все-таки моя родина. И снова — успех.

Но это уже стало отдаленно походить на зарождение традиции. Ну как же, сделали фильм об Америке, сделали о Франции, пора приступать к фильму о следующей стране. Например, об Италии. Почему об Италии? Да потому что все любят Италию, и кроме того, 2011 год — официально объявленный год Италии в России и России в Италии, так что есть повод. Все так, но как ныне любят говорить в России, имелась одна «маленькая деталь» (попробуйте сказать «большая деталь» и сразу поймете, что деталь может только быть маленькой и выражение «маленькая деталь» — свидетельство малограмотности того, кто его употребляет), а именно: в отличие от Америки и Франции, родных для меня стран, Италия мне совершенно не родная. Америку и Францию я знаю изнутри, я там рос. Я совершенно точно представлял, что хочу рассказать об Америке и о Франции, что хочу снимать и почему. С Италией же ситуация иная. Я бывал там много раз, но, скорее, как турист, визитер. У меня нет никакого специального, устоявшегося отношения к этой стране. И — быть может, главное — я не говорю по-итальянски.

Так что, с одной стороны, я не желал снимать кино об Италии. Но с другой — соблазн был велик...

И соблазн взял верх над доводами разума.

Первым делом я засел за изучение итальянского языка. Я прекрасно понимал, что за несколько месяцев не сумею выучить его так, чтобы вести интервью на итальянском. Но я хотел добиться хотя бы того, чтобы понимать итальянскую речь процентов на восемьдесят (без ложной скромности сообщаю, что мне это удалось).

Дальше надо было решить: *про что кино?* Что мы будем снимать и почему будем снимать именно то, а не это? Эти вопросы оставались без вразумительных ответов, пока нас с Ваней Ургантом не осенила мысль: следует создать список из десяти–пятнадцати известных итальянцев и с ними договориться об интервью. Прежде чем начать съемки в стране, снимем интервью с этими людьми, в которых каждому зададим среди прочих два одинаковых вопроса. Первый: *представьте себе, что перед вами стоит человек, который никогда в Италии не был, но может увидеть лишь одно-единственное место в вашей стране. Куда вы направили бы его?* И второй: *представьте себе, что я могу съесть только одно-единственное итальянское блюдо. Скажите мне, что это за блюдо и где его лучше всего готовят?* В итоге мы получим перечень итальянских мест, которые надо обязательно увидеть, а также список блюд. Таким образом наш маршрут будет определен не нами, а ими, итальянцами. Отсюда выросло и название фильма — «Их Италия».

Если вы, посмотрев фильм или прочитав эту книжку, спросите, почему нет ничего о Помпеях, о Капри, о таких потрясающих городах, как Лукка, Пиза, Генуя, Римини, Феррара, ну и так далее, ответ один: потому что их не назвали наши собеседники. А люди это были не банальные. В их числе, например:

Франко Дзеффирелли

Тонино Гуэрра

Князь Строцци и его княжнаи княгини

Пьеро Антинори

Феруччо Феррагамо

Марко Мюллер

Маргарета Хак

Андреа Бочелли

Аль Бано

Дольче и Габбана

Этро и его семья

Моника Белуччи

Кардинал Равази.

И это далеко не полный список.

Были люди, интервью с которыми мы добивались, но тщетно. К таким относятся: Сильвио Берлускони — тогда он был еще премьер-министром, погруженным в скандалы по самое не хочу; выдающаяся оперная певица Мирелла Френи, которая назначила нам день и час и... исчезла; Микеле Плачидо, известный в России как комиссар Каттани (он был занят на съемках); легендарный вратарь сборной Италии Джи Джи Буффон; знаменитый писатель Умберто Эко, Адриано Челентано... Хочу сказать безо всяких обиняков, что мы рассчитывали на гораздо большую и эффективную помощь итальянского посольства в Москве. Эта помощь была обещана, в какой-то мере оказана, но мера эта оказалась недостаточной — и это я выражаюсь политкорректно. Вообще, обязательность итальянцев — отдельная тема, которой я еще коснусь.

ВОЗВРАЩАЯСЬ К НАПИСАННОМУ РАНЕЕ

В двух предыдущих книжках, связанных с «Одноэтажной...» и «Тур де Франс», я написал о нашей съемочной группе. На этот раз упомяну еще и «новеньких», но начну со «старых»:

- **Надежда СОЛОВЬЕВА**. Генеральный продюсер. У нее по-прежнему все под контролем, она всех держит в страхе, всегда ищет как сделать, а не как не сделать, всегда готова сочетать полезное с приятным.

- Валерий СПИРИН. Режиссер, по-прежнему похожий на сонного полярного медведя, которого лучше не будить.
- Артем ШЕЙНИН. Креативный продюсер. По-прежнему по-сержантски всех строит и исправно, до изнеможения отжимается по утрам и вечерам.
- Аня КОЛЕСНИКОВА. Исполнительный продюсер. По-прежнему четкая, ответственная, обворожительная, умеет говорить на вдохе, малоодетая, улыбчивая.
- Влад ЧЕРНЯЕВ. Главный оператор. По-прежнему занудливо и бескомпромиссно требует, чтобы картинка была именно такой и не иной.
- Женя ПЕРЕЯСЛАВЦЕВ. Оператор, по-прежнему внезапно исчезающий, чтобы «достать» абсолютно нереальные кадры.
- Стас ТОЛСТИКОВ. Звукооператор, по-прежнему дотошно делающий свою работу, при этом получающий удовольствие от всего нового.
- Володя КОНОНЫХИН. По-прежнему невозможно определить род его профессии — швец, жнец и на дуде игрец, мастер на все руки, наш талисман.

o—o

Но были, как я уже сказал, и новенькие:

▪ Лена ЧЕБАКОВА. Прежде чем познакомить вас с ней, я должен сделать небольшое отступление.

Во всех наших поездках нас сопровождал человек, которого я называл «местным голосом». Например, в поездке по США это был мой давний друг Брайан Кан. Во Франции это был Робен Димэ. Общего между этими двумя господами было только то, что оба были местными: Брайан — стопроцентный американец, Робен – стопроцентный француз. Каждый должен был «прозвучать» в качестве местного голоса, который комментирует наши с Иваном высказывания, поправляет нас, спорит с нами.

Брайан справился с поставленной задачей блестяще. Робен же не то что не справился, а полностью провалил задание. Об этом я достаточно подробно написал в книжке «Тур де Франс», так что не буду повторяться. Но после неудачи с французским «голосом» наш генеральный продюсер засомневался в необходимости «голоса» итальянского (замечу в скобках, что генеральный продюсер — это тот человек, который финансирует проект, он вынужден считать каждую копейку и относится резко отрицательно к непродуктивным тратам). Словом, возник спор. Я считал наличие подлинно местного человека важным, настаивал на этом. Наконец договорились, что попробуем, но в случае, если выбранный нами человек окажется неподходящим, увольняем его и больше не берем никого. Поэтому я отнесся настороженно к сообщению Ани Колесниковой о том, что нашим «итальянским голосом» будет некая Елена Чебакова, русская женщина, вышедшая когда-то замуж за сицилианца. Ну вот, подумал я, мало того, что она не настоящая итальянка, так она еще связана с мафией.

Дорогая Лена! Пожалуйста, извините меня за эти мерзкие подозрения. Вы не просто оправдали мои ожидания. Вы были доброй феей, всегда положительной, всегда там, где надо было быть, вы были помощницей, вы рекомендовали нам людей и места. Словом, благодаря вам наш фильм стал лучше.

Что до вас, уважаемые читатели, то будет полезно знать, что Лена совершенно прелестная блондинка, изящная, невысокого роста, с очень русским лицом, которое стало еще нежнее благодаря итальянской прививке. Нет ничего удивительного в том, что в неё влюбился и женился на ней сицилианец Марио Белла.

▪ Марио БЕЛЛА. Как, на ваш взгляд, выглядит типичный сицилианец? Представления не имеете? Ладно, тогда скажу о том, каким рисовался мне этот персонаж: кряжистый, невысокого роста, глядящий на вас черыми, словно два дула пистолета, зрачками, неулыбчивый, готовый в любой момент выхватить из-

за пазухи обрез. Похоже? Нет, дорогие мои, не похоже.

Марио Белла, как вам уже известно, муж Лены Чебаковой, но я не стал бы писать о нем, если бы он не оказался и одним из наших водителей. Марио специально взял отпуск, чтобы поработать с нами (и заодно проследить за тем, чтобы никто к его Елене не приставал). Марио статен, красив, мужественен, улыбчив, приветлив, смугл, белозуб, по ходу дела учил меня итальянскому языку, никогда не говорил «нет». Он и Лена пригласили нас на семейный ужин, когда мы были на Сицилии, и это отдельная и прекрасная страница нашего путешествия.

Еще хочу сказать, что благодаря Марио мы чувствовали себя абсолютно защищенными. Почему — спрашиваете вы? Да потому, что Марио — карабинер. Мне кажется, что из-за этого некоторые из нас, будучи за рулем, допускали определенную наглость, рассчитывая на то, что если нас остановит «polizia stradale» (это вовсе не «страдающая» полиция, как предполагают некоторые российские туристы, а «дорожная»), то Марио всегда договорится с ними. Что, собственно, и произошло раза два.

Единственное, в чем он не преуспел, было в организации вертолетных съемок того, как карабинеры пытаются бороться с нелегальной иммиграцией, приплывающей из Северной Африки. Военное начальство сказала «да», потом «да, но», потом «может быть, но потом», и в конце концов «нет». Марио был сильно раздосадован. Мы же все вспоминаем его с любовью.

o—o

Такова наша команда, в которой, по сути, остаются все те же люди. Я рад, что работаю с ними, благодарен им за то, что они делают, за поддержку и преданность, за умение трудиться много часов подряд, порой не в самых благоприятных условиях, притом без всяких жалоб. И еще я благодарен им за то, что они стоически терпят меня, человека разных настроений.

Всем им спасибо!

o—o

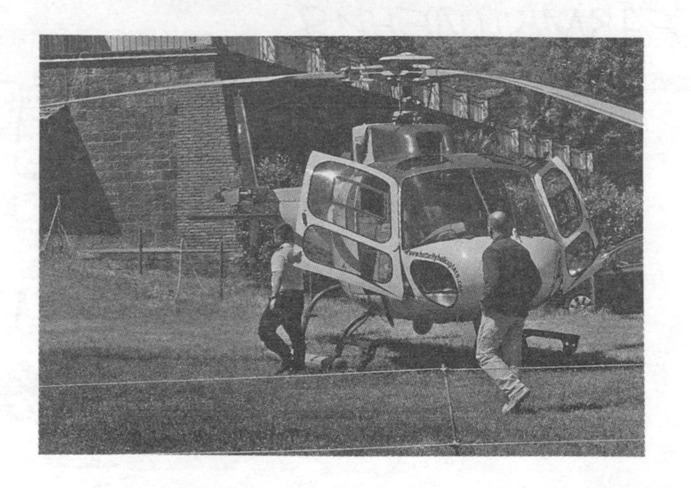

Вот на этом вертолете мы полетели
на свидание с Везувием

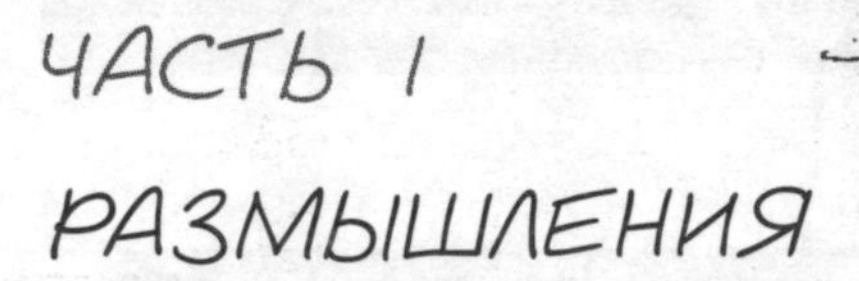

ЧАСТЬ I

РАЗМЫШЛЕНИЯ

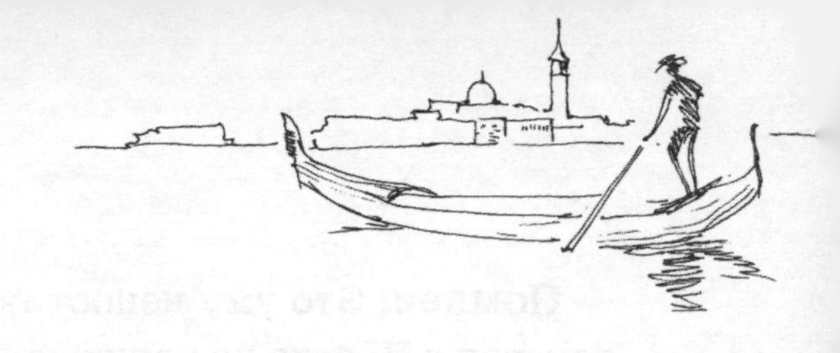

Размышление первое.

МОЯ ИТАЛИЯ

Да-да, у меня есть моя Италия. Ее образ сложился до этой поездки и сопровождал меня, напоминая о себе, окрашивая мои новые впечатления тем особым цветом, который не имеет названия и связан с памятью. Есть в английском языке такое слово — «*flashback*». В англо-русских словарях оно переводится как «ретроспективный кадр (кино)». Перевод по смыслу точный, но страшно неуклюжий и ограниченный. На самом деле (помимо кино) «*flashback*» — это то, что происходит с нами, когда внезапно в памяти возникает воспоминание о давно прошедшем — чаще всего в виде картинки. Стоит мне заговорить или подумать об Италии, как мгновенно вспыхивают эти картинки из прошлого...

Помпеи. Это уму непостижимо! Город был основан в VI веке до нашей эры. Он рос, развивался, расширялся до 24 августа 79 года — того дня, когда его накрыло и похоронило извержение вулкана Везувий. Это было тысяча девятьсот тридцать три года тому назад. Несчастье для жителей Помпей обернулось счастьем для нас: город сохранился точно таким, каким его настигло извержение, в чем мы можем убедиться благодаря раскопкам.

То, что я там увидел, поразило меня и стоит перед моим мысленным взором, будто я был там вчера. Тогда, почти две тысячи лет тому назад, люди жили так, как мы живем сегодня, за исключением одного — не было электричества. А все остальное имелось: ходишь по мощеным улицам — слева и справа стоят отчасти сохранившиеся двух- и трехэтажные дома, видишь гостиные, столовые, спальни, атриумы, попадаются по пути бывшие магазинчики, закусочные; туристы валом валят смотреть на почти полностью сохранившийся публичный дом, стены которого украшены росписью соответствующей тематики. Высятся просторные общественные здания, стройные колоннады бывших площадей, трубы канализации...

Бродишь среди этих руин и задаешься вопросом: а куда это потом подевалось? Почему на смену этому пришли варвары, темное Средневековье с его нечистотами,

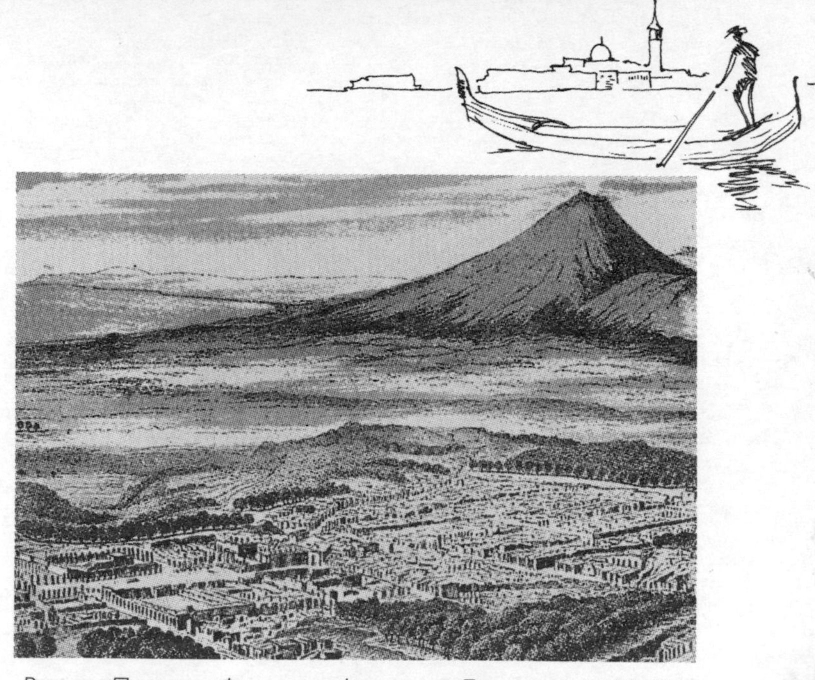

Вид на Помпеи. Фридрих Федерер. Литография. 1850 г.

вонью, религиозной слепотой, время, когда люди мылись два раза в жизни — при рождении и при погребении, когда от дам и господ не просто разило — в складках их одежды водились вши, блохи и прочие «прелести». Почему так случилось? Как объяснить, что политеистическая культура древних греков и римлян была светлее, веселее, здоровее и цивилизованнее, чем сменившая ее монотеистическая культура христианства? Почему утро зарождения европеизма в подлинном смысле этого понятия оказалось настолько ярче — во всех отношениях — его раннего дня? Почему?

Фреска из виллы Мистерий. Помпеи. I в. до н.э.

Дедал и Пасифая. Фреска из виллы Веттиев.
Помпеи. I в. до н.э.

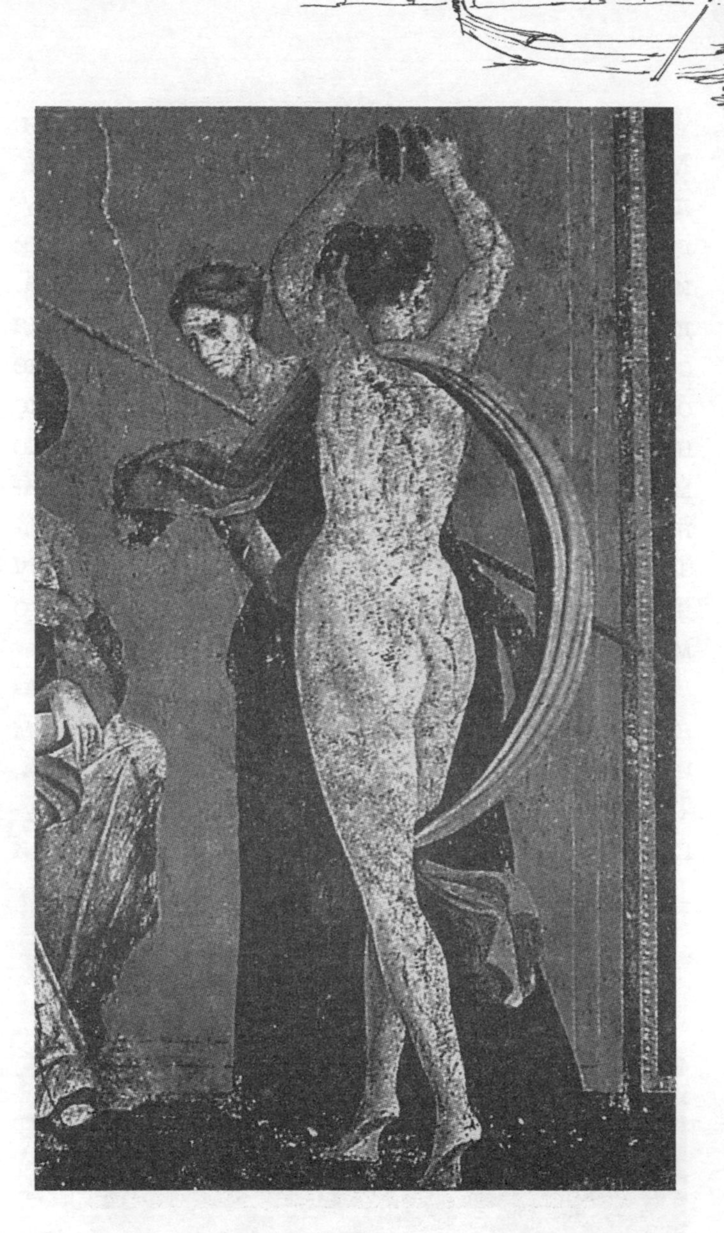

Танцовщица. Фреска из виллы Мистерий. Помпеи. I в. до н. э.

Рим. Форум. Август. Жара африканская. Может быть, этим объясняется отсутствие людей. Одни — местные — в отпуске, другие — туристы — испугались жары. Так или иначе, но Форум почти пуст. Царит тишина: древний Форум расположен ниже уровня современного города, городской же шум не опускается, а поднимается. Слышно только цикад. Они исполняют свою металлическую мелодию хором, не останавливаясь ни на минуту, пока в один августовский день все разом не замолчат, подчиняясь неизвестному нам взмаху дирижерской палочки великого маэстро — Природы.

Я здесь впервые. Еще в детстве я страшно увлекался историей Древнего Рима. Рем и Ромул, Сулла, Цезарь, Август, Антоний, Тиберий, Клавдий, Траян и целый сонм других — для меня живые люди, я вижу их и

Форум. Вид из Фарнезских садов. Камиль Коро. 1826 г.

Легендарная волчица, вскормившая легендарных же Ромула и Рема

слышу во всем их величии и блеске. И вот я здесь, я хожу по той земле, по которой ступали они, и от этого у меня перехватывает дыхание. Даже ограбленные и опустошенные триумфальные арки стоят непоколебимо и гордо, говоря всем и каждому: «Смотрите, склоните головы, дивитесь».

И вдруг, словно молния, меня поражает мысль: «Вот откуда я! Здесь мои корни! Здесь! Я — европеец! И бесконечно благодарен судьбе за это».

Форум. Вид из Фарнезских садов

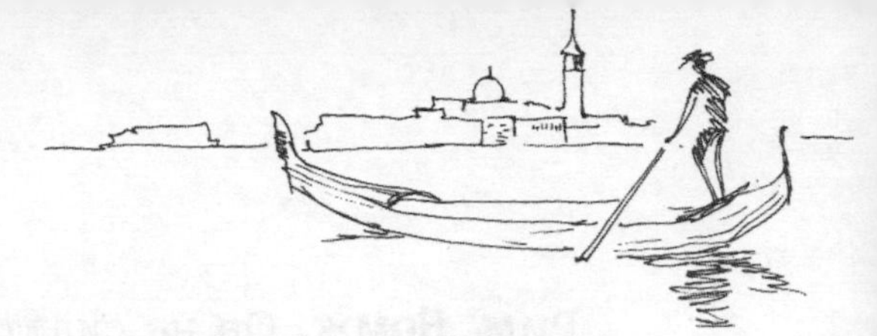

Камиль Коро. 1826 г.

Рим. Бомж. Он не сидит, а возлежит. Как мадам Рекамье. И как мне показалось, то ли горделиво, то ли презрительно смотрит на проходящих: мол, идите, идите, еще не таких видел на своем веку. И то правда. Этому бомжу порядка двух тысяч лет. Этот памятник бездомному показала мне Галя Букалова, нежно мною любимая жена моего друга Алексея Букалова, заведующего вот уже двадцать с гаком лет бюро ИТАР–ТАСС в Риме. Этот бомж почему-то произвел на меня неизгладимое впечатление. Если вам захочется познакомиться с ним, пройдите на Via Babuino, и там, рядом с храмом, вы увидите его, полулежащего, просящего милостыню. Только нет в его облике ничего просящего. Скорее, есть что-то надменно-превосходное.

Древнеримский бомж возлежит как мадам Рекамье. Юный же римлянин явно им впечатлен

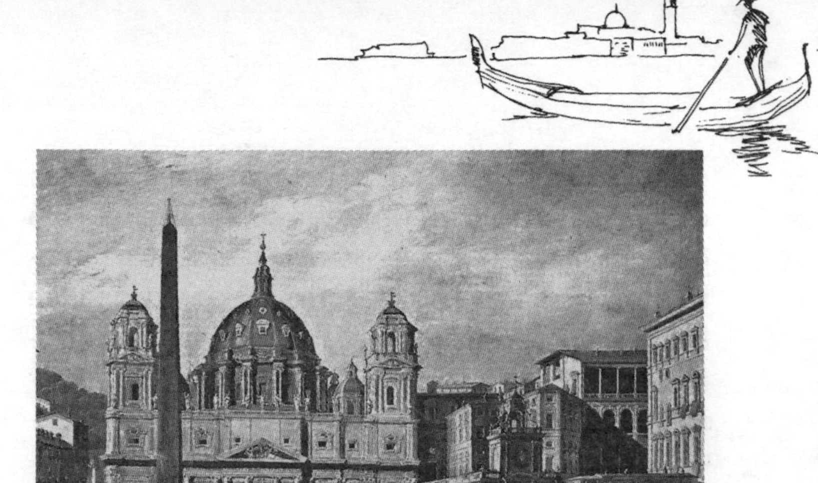

Собор Святого Петра. Вивиано Кодацци. 1630 г.

Рим. Ватикан. Собор Святого Петра. Вот уж не мое. Громадный, совершенно некрасивый, внушающий тебе, что ты никто и звать тебя никак. Я-то зашел в собор лишь с одной целью — посмотреть на «Пьету» Микеланджело. Посмотрел. Что и говорить, поразительная вещь. Она должна вызвать сочувствие, сострадание, желание исповедаться... Но у меня не вызвала, уж слишком сильно отвлекает сам собор, который во всем противоречит апостолу Петру. Я, как известно многим, атеист, так что дела церковные меня не занимают. Но здесь — другое. Ведь Петр был простым человеком, он же предал своего учителя и потом горько каялся. Он стал первым епископом Рима, что и соответствует папскому титулу, но оставался скромным, строгим (прежде всего к себе). Что собор его имени имеет общего с ним? Да ничего. Этот собор — нечто иное, как воплощение стремления Церкви — в данном случае католической — доказать человеку, что он ничтожество.

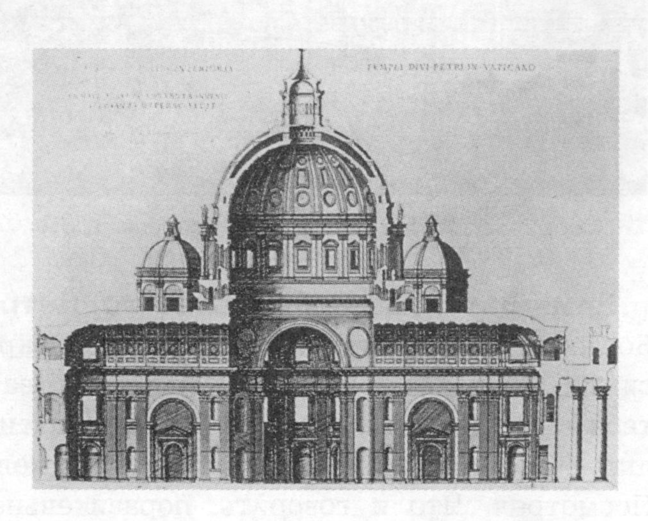

План собора Святого Петра

Рим. Моисей. Совсем недалеко от Нового Арбата есть памятник моему любимому Гоголю. Нет, это не тот, официальный и бездарный, что стоит у начала Гоголевского бульвара. Николай Васильевич спрятался от прохожих в тихом московском дворике. Сообщаю вам точный адрес, хотя мне кажется, что Гоголь, человек крайне закрытый, был бы против: Никитский бульвар, дом 7. Он сидит в глубокой задумчивости и печали. У его ног ведут хоровод герои его гениальных произведений, но ему не до них. Ему вообще не до кого. Но достаточно подойти к нему, как ты сразу заметишь, что Гоголь за тобой следит. Начинаешь обходить его по кругу, а он будто поворачивается за тобой, смотрит и смотрит на тебя...

При чем тут Рим, спросите вы? Нет, дело не в том, что Николай Васильевич долго жил в Риме, обожал его. Просто именно в Риме я набрел на такой же памятник. Такой же — в том смысле, что его герой тоже следит за тобой, поворачивает, как кажется, голову вслед тебе.

Это памятник Моисею работы все того же Микеланджело. Меня он ошеломил. Признаться, я никогда особенно не думал о том, как выглядел Моисей, но если бы спросили меня, я, скорее всего, сказал бы, что он был невысокого роста, худощав, аскетичен. А тут...

Перед вами сидит гладиатор, атлет, от которого веет силой и чувственностью. Он ог-

*Виттория Колонна и Микеланджело
у «Моисея». XIX в.*

ромен, его мускулатуре мог бы позавидовать любой культурист. Горделивая голова, мощный взгляд... В правой руке он держит Заповеди, полученные от Творца, но держит их почему-то кверху ногами. От него исходит громадная сила, я это почувствовал и даже чуть оробел. У Моисея на голове рожки, что, конечно же, вызывает недоумение. Объяснение до смешного простое: в Ветхом Завете сказано, что иудеям, которых он вел по пустыне, было трудно смотреть ему в лицо, потому что... и тут при переводе с иврита на Вульгату (латинский перевод Библии, сделанный святым Иеронимом в IV веке и утвержденный Тридентским собором) произошла досадная ошибка: одно и то же слово на иврите может означать «рога» и «свет». Но переводчику было не до размышлений, и у него получилось, будто Моисей имел рога. На самом же деле речь идет о том, что от его лица исходил яркий, слепящий свет, отчего иудеи и не могли глядеть на него.

o—o

Капри. Вилла Сан-Микеле. Мы жили в Нью-Йорке. Мне было лет тринадцать, когда мама дала мне книжку и сказала (она всегда говорила со мной только по-французски): «Vova, ça va te plaire»*. На обложке было написано по-английски: «Axel Munthe. The Story of San Michele»**.

Я начал читать и так и не встал с кресла, пока не закончил эту удивительную книгу шведского доктора, мечтавшего о солнце и о свете, доктора, спасавшего жизни в пораженном холерой Неаполе, доктора, которому приснилось, что он будет жить в светлой вилле высоко-высоко над морем, там, где жил некогда грозный Тиберий, и что он собственными руками построит себе эту виллу... И он ее построил. Закрывая книжку, я точно знал, что когда-нибудь тоже там окажусь и увижу эту виллу, что вокруг меня будут бродить тени тех людей, которых описал Мунте, и тень его любимой собаки, да и десятков других животных, прирученных великим гуманистом... И это случилось.

Нынче Капри — магнит для туристов. Забито все и вся. Но к счастью, не все знают о вилле Сан-Микеле, а даже услышав о ней, не особенно интересуются каким-то Акселем Мунте (это же не магазин «Эрмес», «Бриони» и прочее, и

---

* «Вова, тебе это понравится» (*фр.*).

** «Аксель Мунте. История Сан-Микеле» (*англ.*).

прочее — о подобных местах один мой знакомый однажды сказал: «Моя жена продвигается там со скоростью пять тысяч евро в час»), так что туристов в этом райском уголке немного.

Там тихо, там покой, там поют десятки видов птиц. Их предков Мунте спас когда-то от охотничьих сетей и ружей, купив склон горы, на который птицы эти прилетали и прилетают по сей день весной. Там древний египетский сфинкс смотрит вдаль, и ты, стоя рядом с ним, чувствуешь дыхание пирамид. Там солнце, отнявшее в конце концов у Мунте зрение, льет свой прекрасный и беспощадный свет на это творение рук человека, мечтавшего и мечту свою воплотившего.

Это одно из моих самых любимых мест на свете.

o—o

Сицилия. Ното. Сюда после полета над Ионическим морем прилетел Дедал. Сюда, завершив свой седьмой подвиг (укротив критского быка), завернул Геракл. Правда, тогда этот город носил иное название, да и его давно уже нет — в 1693 году он был полностью разрушен могучим землетрясением. Ното возник в XVIII веке, почти разом, напоминая в этом смысле Санкт-Петербург, но только в этом смысле. Весь город выстроен в одном стиле, название которому «сицилийское барокко», и это что-то совершенно невероятное. Ното называют «Каменным садом», но никакие названия, никакие эпитеты не могут передать его своеобразную, неповторимую красоту. Я помню, как после нескольких часов хождения по Ното у меня жутко заболела шея — от того, что я все время передвигался задрав голову, рассматривая балконы, башни и башенки, звонницы церквей, каменную лепнину, похожую на застывшие взбитые сливки.

Дух захватывает.

o—o

Флоренция. Звонница. Купол. Баптистерий. Вряд ли я могу добавить что-то к тому, что уже написано другими о Флоренции. Но искус велик, так что попробую.

На Соборную площадь надо приходить или рано утром, когда только-только встает солнце, или поздно вечером, даже ночью. И в том, и в другом случае не будет никого. Вы окажетесь один на один с величайшими творениями человеческого гения. Только предупреждаю — подготовьтесь: впервые увидев то, что предстоит увидеть вам, Стендаль потерял — в буквальном смысле! — дар речи. Он молчал три дня, то и дело у него кружилась голова. Теперь это называется «болезнью Стендаля», потому что ей подвергаются многие. Она может и вас захватить, так что, повторяю, будьте осторожны.

Я вышел на Соборную площадь и остолбенел. Передо мной в небо устремилась звонница Джотто. Громадная и легкая, мощная и изящная, сотканная (именно так, а не сложенная или построенная) из зеленого, белого, розового и черного мрамора, она поразила меня в самое сердце. Она уходила вверх, но в то же время не уходила, что-то такое происходило с моим зрением или восприятием, это был странный фокус, обман зрения, но обман неслыханной красоты. Потом только я понял: никакой не обман, просто Джотто, гениальнейший Джотто придумал то, что ни до, ни после него ни один архитектор не смог придумать: чем выше окно звонницы находится, тем большего оно размера. Вспомните: когда вы смотрите на высокое строение, вам кажется, что окна наверху меньше. Это именно кажется — всем нам понятно, что на самом деле они одинаковые, их «уменьшение» — оптический обман. И глаз, привыкший к тому, что высокое окно «меньше» того, что расположено ниже, никак не может «смириться» с тем, что видит, — в этом и заключается гениальность приема Джотто. Я стоял с открытым от удивления ртом, напряженно смотрел вверх, пока и в самом деле не закружилась голова... Я часто задумываюсь над тем, что Джотто умер, так и не увидев завершения строительства спроектированной им звонницы, но умер он — и в этом я уверен — совер-

Палаццо Веккьо

шенно спокойно, осознавая, что сотворил чудо, и чудо это, как памятник великому художнику, будет стоять вечно.

Домский собор, рядом с которым высится звонница, прекрасен. Но уникален он своим куполом, о котором я не стану здесь писать, поскольку именно на купол Домского собора послал нас один из наших героев, Франко Дзеффирелли. Скажу лишь одно: никто, ни

один архитектор по сей день не понимает, каким образом Брунеллески сумел воздвигнуть этот купол, который согласно законам физики не может и не должен держаться. Но поди ж ты, держится, да еще как.

Самый старожил на Piazza del Duomo — это Battistera di San Giovanni, или баптистерий Святого Иоанна. Он строился с 1059 по 1129 год. Вплоть до относительно недавнего времени в нем крестили всех жителей Флоренции. Крестили там и маленького Данте, и весь род Медичи. Когда будете подходить к этому поразительному восьмиграннику с его тремя бронзовыми вратами, сделайте так, как сделал я: начните с южных ворот и... не торопитесь. Это творение Андреа Пизано стоит вашего внимания, ведь здесь представлены двадцать восемь панелей с барельефами, изображающими жизнь Ионна Крестителя. Вас поразят мельчайшие детали, вы подумаете: это предел того, чего может достичь человеческий гений. Но перейдите к северным воротам — там тоже двадцать восемь панелей, они изображают сцены из Нового Завета и принадлежат руке еще более мощного скульптора, Лоренцо Гиберти. Только после этого подойдите к восточным воротам работы все того же Гиберти. Там всего десять панелей с изображениями библейских историй, но ничего подобного я не видел ни до, ни после. И дело не в позолоченной бронзе, а в

Барельефы баптистерия работы Лоренцо Гиберти. XV в.

неслыханной красоте всех фигур, каждой детали. От этого вполне можно потерять дар речи.

Глядя на все эти творения, я вспомнил слова маркиза Алексиса де Токвиля. Маркиз никак не мог понять, чем демократическая система правления превосходит родной ему феодальный строй, и в поисках ответа он отправился в Соединенные Штаты Америки — изучать первую демократию новой истории. Это было в 1831 году. Пробыл он там несколько месяцев и в результате написал книгу, которая, на мой взгляд, остается лучшим исследованием США. Называется она «О демократии в Америке». В ней де Токвиль приходит к выводу, что демократическая система и в самом деле сильнее, а сила ее заключается в том, что она берет привилегии, которые прежде были только у аристократии, и раздает их всем. Но раздает понемногу. Де Токвиль, оглядываясь на навсегда ушедшее прошлое, говорит, что у его предков не было необходимости работать, они могли заниматься самосовершенствованием — учить языки, учиться музыке, живописи, читать философию, заниматься спортом; эти люди обладали большим количеством времени и делали то, что хотели делать. Потому, заключает маркиз, они и создали то, что никогда не создадут в демократическом обществе, не предоставляющем своим членам ни времени, ни средств для этого. Думаю, он прав: невероятная тщательность работы, ее глубина, отражающая особое состояние души... Наверное, ощущение невозможности повтора чего-либо подобного сегодня отчасти и является причиной столь сильного эмоционального воздействия.

o—o

Флоренция. Каменные рабы Микеланджело. Их четверо. Они как бы вырываются из мраморных глыб или рождаются — не знаю, какое слово точнее. Это неоконченные работы Микеланджело. Для меня — абсолютная вершина его творчества, произведения такой силы, такого напряжения, что я, когда смотрел на них, задыхался. На самом деле этих рабов должно было быть шесть, и им предстояло украсить надгробие Папы Юлия II. Но к моменту, когда Микеланджело завершил работу над двумя статуями, Папа от проекта отказался. В результате множества хитросплетений эти два раба оказались в Лувре, в Париже. А еще четыре остались во Флоренции и вот уже более пятисот лет все пытаются вырваться из своего мраморного плена.

o—o

Лукка. Много лет тому назад, чуть ли не в другой жизни, я был в командировке в Вильнюсе, столице Литовской ССР. Я тогда работал в журнале «Soviet Life», который издавал-

ся советским правительством в обмен на журнал «Америка». Оба эти издания были сугубо пропагандистскими и имели своей целью убедить читателей в превосходстве одной страны, одной системы над другой. Должен сказать, что советский журнал ни в чем не уступал американскому — ни по качеству статей, ни по фотографиям, ни по уровню печати (а печатался он в Финляндии). Так вот, я отправился в Вильнюс писать очерк о Лаздинае, пригороде столицы, отличавшемся совершенно новым подходом к градостроительству — большие многоэтажные дома встраивались в природу, не нарушая ничего: деревья, ландшафт не только не страдали, но даже выигрывали, и жители этого района оказывались в каком-то волшебном городе-саде (по Маяковскому). Витаутас Чеканаускас был одним из архитекторов Лаздиная (за что получил Ленинскую премию), он водил меня по этому новому жилому массиву, пропагандистская ценность которого была очевидна. Но Чеканаускас занимался и реставрацией старого города в Вильнюсе, и признаться, старый город с его узенькими улочками и домами XV века меня привлекал куда больше нового. В какой-то момент я задал Чеканаускасу явно провокационный вопрос:

— Вы мне рассказали о том, что реставрация старого города — дело не только сложное, но и дорогое: невозможно использовать новую технику, потому что машины не могут заехать в эти узкие улицы, и приходится применять только ручной труд. В качестве примера вы привели такой факт: старинные кирпичи, которые необходимо сохранить, надо сначала вынуть из старой кладки, и такая работа стоит три рубля за каждый... — (Тогда заработная плата в сто пятьдесят рублей в месяц считалась вполне приличной.) — А не проще ли было бы снести все эти старые дома и построить на их месте новые?

Чеканаускас посмотрел на меня с явным недоумением (чтобы не сказать — презрением) и сказал:

— Вы случайно не видели фильм Кубрика «Заводной апельсин»?

— Да, видел, — ответил я.

— Так вот, вы могли увидеть, что происходит с человеком, который растет в совершенно безликих, одинаковых, уродливых домах. А родившийся и выросший в красоте — это другой человек. Разрушать такую красоту — преступление.

Конечно же, он был прав. И я вспомнил его слова, когда впервые попал в Лукку — город-сказку, в котором сохранилось все: и старинные крепостные стены, и мощеные улицы, и здания. Все так, как было сотни лет тому назад, за исключением того, что в этих старинных домах есть теперь и электричество, и ка-

нализация, и водопровод. Красота сохранена, каждый дом со своим индивидуальным фасадом и характером, но и жить в нем человеку удобно.

Это совершеннейшая красота. И для меня очевидно, что человек, который родился среди этой красоты, человек, который вырос, окруженный ею, отличается от других тем, что в нем возникает совершенно особое чувство, понимание красоты; а если это происходит не с одним человеком, а с целым народом, если это длится веками, то народ уже на генетическом уровне обладает этим совершенно особым чувством прекрасного.

Вы никогда не задумывались, почему лучшие в мире дизайнеры — итальянцы? Не имеет значения, идет ли речь об автомобилях, об одежде, о мебели... Поезжайте в Лукку. Там вы найдете ответ на этот вопрос.

Вот так получается, что моя Италия — это серия *flashbacks*, картинок и ощущений давно увиденного и пережитого, которые, словно кусочки пазла, складываются в картину. Именно они возникают перед мысленным взором, когда я слышу слово «Италия».

Размышление второе.

МОИ ИТАЛЬЯНЦЫ

Раз есть «моя Италия», логично предположить, что имеются и «мои итальянцы». И они, конечно, существуют, причем в разных смыслах. Прежде всего у меня есть итальянские друзья и приятели, однако знакомство с ними не позволяет мне составить некое обобщенное представление и сказать: итальянцы — это...

Нет ни одного народа, удостоившегося такого количества эпитетов, как итальянцы. Вот лишь некоторые из них: они шумные, нервные, пройдошистые, ленивые, безалаберные, веселые, жизнерадостные, страстные, вороватые, необязательные, не пунктуальные, модные, трусоватые, сластолюбивые. Итальянки хороши собою, они модницы, гламурные, крикливые, темпераментные. Всё это отчасти предрассудки, отчасти и правда, но на самом деле не добавляет ничего к подлинному пониманию

того, кто такие итальянцы и почему они именно такие.

Вообще, нет ничего более трудного, да и бесполезного, чем попытки определить черты как внешние, так и внутренние, характерные для той или иной нации. Можно ли, например, сказать, что одна из черт русского человека — гостеприимство? Можно. А можно ли сказать, что гостеприимство — одна из черт грузина? Конечно. А значит ли это, что русские и грузины похожи?..

Нам, европейцам, иногда кажется, что китайцы, японцы, корейцы и вьетнамцы очень походят друг на друга, потому что у них раскосые глаза и кожа желтого цвета. Но мы же понимаем, что это не так, что китайцы отличаются от японцев не меньше, чем, скажем, итальянцы от немцев.

На мой взгляд, самыми точными и яркими выражениями национальных особенностей являются язык и народные песни. Для человека, имеющего хоть какой-то опыт путешествий (при условии, что слон не наступил ему на ухо), не составит труда отличить французскую народную музыку от итальянской, итальянскую от испанской, испанскую от немецкой и так далее. Даже если вы не знаете ни одного слова на этом языке, ваше ухо отличит звучание шведского от голландского, португальского, греческого...

Однако это не приближает нас к пониманию того, каким является национальный характер того или иного народа. В данном случае — итальянского.

Об итальянцах написана гора книг, так что я вряд ли смогу добавить что-либо новое. Тем не менее тщеславное желание поделиться собственным открытием оказывается (по крайней мере, для меня) сильнее здравого смысла. Так что потерпите.

Итак, мое открытие таково: итальянцев в общепринятом смысле... нет. «Ну и загнул Познер, — подумаете вы, — а кто же эти шестьдесят с лишним миллионов человек, которые населяют Апеннинский полуостров, если они не итальянцы?!» И я вам отвечу: вы спросите их, как спрашивал я, и в ответ на вопрос «Вы итальянец?» услышите вот что:

— Я флорентиец.

— Я римлянин.

— Я сицилиец.

— Я неаполитанец.

— Я венецианец.

— Я генуэзец...

Пожалуй, лучшей иллюстрацией сказанного может послужить князь Джироламо Строцци, интервью с которым вы найдете во второй части этой книги. Я спросил у него, кто же он в первую очередь — итальянец, тосканец или флорентиец, и он, хитро улыбнув-

шись, заявил, что это очень трудный вопрос, но тут же и ответил:

— Во-первых, флорентиец, затем тосканец, а потом итальянец.

Бывают, конечно, исключения. Помню, когда я презентовал наш фильм об Италии, среди гостей был посол Итальянской Республики в РФ господин Антонио Дзанарди Ланди. Услышав мои слова о том, что в Италии нет итальянцев, а есть флорентийцы, римляне и так далее, он счел необходимым завершить свое краткое выступление словами:

— Я итальянец!

Впрочем, что еще должен был сказать посол?

Вопросы есть? Если нет, то напрасно, потому что надо бы спросить: а почему так? Очевидное объяснение заключается в молодости итальянского государства: в 2011 году оно отпраздновало свое стопятидесятилетие. А что было до этого? В том-то и дело, что до этого веками существовали Венецианская Республика, Неаполитанское Королевство, Генуэзская Республика, жили самостоятельной жизнью Рим, Флоренция, Милан, да еще и соперничали друг с другом, воевали.

Но это лишь самое простое объяснение. Есть второе, куда более сложное, которое указывает на уникальный путь развития этой страны, и сводится оно... Нет, прежде я должен чуть отвлечься.

Начиная с самых древних времен и на протяжении столетий все страны так или иначе становились объектами завоевателей. Не буду приводить примеры, поскольку они общеизвестны. Некоторые находились под пятой одного завоевателя в течение длительного времени, что не могло не отразиться на формировании национального характера. К таким странам можно отнести, например, Россию (татаро-монгольское иго), Испанию (мавританское владычество), Болгарию и Грецию (Оттоманская империя). Другие подвергались вторжениям со стороны разных сил, но довольно быстро сумели от них освободиться, образовав свое национальное государство и избежав существенного влияния на них завоевателей, — таковы, например, Франция, Англия, Швеция.

Но из всех европейских стран лишь Италия не только привлекала самых разношерстных завоевателей, но и была накрыта ими, словно лоскутным одеялом, вплоть до совсем недавних времен (в историческом смысле). Этруски — в Тоскане и Умбрии; греки — на юге страны; римляне, завоевавшие весь «сапог» и властвовавшие там пять веков... Но вот под ударами варваров развалилась, казалось бы, вечная Римская империя, и пошло-поехало: на север хлынули германские племена, на юг — средиземноморские; последних вытеснила Византия, которая удерживала юг страны около пятисот

лет; в IX веке Сицилию захватили сарацины, а в XI веке их оттуда выгнали норманны, вслед за которыми, веком позже, пришли арагонезцы. Однако отступили, наконец, Темные века, началось Возрождение, варвары давно «цивилизовались» и превратились... в кого? При том, что завоевателей не стало меньше: испанцы — на юге, французы — на севере, а еще австрийцы. И так вплоть до освобождения страны Гарибальди и ее объединения.

Всем этим я хочу подчеркнуть одну важную мысль: национальный итальянский характер выковывался под самыми разнообразными ударами.

Как мне кажется, три фактора оказали решающее влияние на формирование итальянцев.

Первый: то, что они так долго жили порознь. Потому не будет преувеличением сказать, что нет никакой Италии, а есть территория, имеющая форму сапога, и на ней расположились двадцать две страны. Каждая — со своим языком (диалектом), который другим непонятен, каждая не сильно жалует остальных, и жители каждой убеждены, что они превосходят жителей всех других.

Второй: многовековое существование в таких условиях, когда местная власть на самом деле властью-то и не была, а подчинялась тому или другому иностранному завоевателю, привело к значительному нигилизму, к непризнанию власти как реальной составляющей жизни и в связи с этим к исключительной значимости «семьи» (ставлю кавычки, чтобы отличить сугубо родственное значение слова от его расширенного понятия).

Третий: то, за счет чего выжила эта древняя цивилизация (нация), в отличие от множества других, исчезнувших с лица земли. Вдумайтесь в смысл римской пословицы: «Franza o Spagna, purche se magna», что приблизительно переводится так: «Хоть француз, хоть испанец, дали бы только жрать». Итальянцы сохранились как народ только потому, что не стали воевать с куда более сильными противниками (это грозило бы им уничтожением) и приспособились жить в условиях своего рода нескончаемой оккупации. Они выработали те внешние черты, которые в этом случае необходимы (и за которые, замечу, их все любят): приветливость, обходительность, дружелюбие, улыбчивость, услужливость. Именно внешние. А что там внутри?

Попробуем разобраться.

Ничто так не объединяет итальянцев, как футбол. Но только если речь идет о squadra azzurra — о сборной Италии. Во всех прочих ситуациях футбол служит самой яркой, самой убедительной иллюстрацией разделенности Италии: так, как «болеют» за свою местную команду «tifosi», не болеют нигде. Флаги, символика и прочие атрибуты болельщиков разных команд восходят к Средним векам и к Возрождению. Но если ты так страстно предан своей «малой» родине, то не идет ли это в ущерб родине «большой»? В смысле не международных отношений, а твоего каждодневного существования. Не отходит ли Родина с заглавной буквы в твоих помыслах и заботах на второй план, уступая родине со строчной буквы? И не является ли это одной из существенных черт итальянцев?

Что до значимости «семьи» в Италии, то послушайте, что пишет по этому поводу Луиджи Бардзини, выдающийся итальянский журналист: «Итальянская семья — это крепость во враждебной стране: внутри ее стен и среди ее жителей отдельный человек найдет утешение, помощь, совет, пропитание, деньги, оружие, союзников и соучастников для поддержки его целей. Имеющий семью итальянец никогда не бывает одиноким. В ней он находит убежище, где может залечить полученные после поражения раны, либо арсенал и штаб для своих побед. Ученые всегда признавали итальянскую семью единственным в стране фундаментальным институтом, спонтанным изобретением национального гения, сумевшим за прошедшие века приспособиться к переменам и являющимся подлинной опорой того общественного порядка, который в данный момент главенствует»*.

---

* Здесь и далее цитируется книга Луиджи Бардзини «Итальянцы».

И другое, на мой взгляд, важное соображение Бардзини: «Следует понять и запомнить один основополагающий момент, который большинство иностранцев не замечают. Чаще всего итальянцы следуют двойному стандарту. Есть свод правил поведения для семейного круга и в отношении родственников, почетных родственников, интимных друзей и близких коллег, и есть совсем другой свод правил — для жизни вне семьи. В первом случае итальянцы демонстрируют все те качества, которые им обычно не приписывают поверхностные наблюдатели: они становятся относительно ответственными, честными, правдивыми, справедливыми, послушными, щедрыми, дисциплинированными, смелыми и способными на самопожертвование. Они практикуют те добродетели, которые другие люди нередко посвящают благополучию своей страны в целом; семейная лояльность и есть их подлинный патриотизм. Во внешнем мире, среди царящего там хаоса и общественного беспорядка, они часто ощущают необходимость применения хитростей подпольных борцов, действующих на оккупированной территории. Любая официальная и легальная власть считается ими враждебной до того момента, пока не будет доказано, что она дружественна или безвредна: если ее нельзя игнорировать, тогда следует ее нейтрализовать либо, в случае необходимости, обмануть».

Читая эти строки, я не мог не думать о России: что греха таить, в России традиционное отношение к власти очень схоже с тем, что описывает синьор Бардзини. Отличие же — и, на мой взгляд, очень важное — заключается в том, что в России совершенно иначе относятся к семье.

Но вернемся к вопросу об итальянском характере... Если рассуждения Бардзини точны, а я в этом не сомневаюсь, то можно сказать, что в каждом итальянце живут два итальянца. Один — «для своих», то есть для «семьи», другой — для всех остальных, и надо понимать, что, приезжая в Италию, мы с вами встречаемся исключительно со вторым. И мы, иностранцы, ничего в этом не понимая, ничего об этом не зная, принимаем «внешнего» итальянца за настоящего. Когда же то, что мы считали дружелюбием и готовностью ради нас встать на уши, оказывается пустыми обещаниями, мы обижаемся и начинаем повторять известные предрассудки о том, каковы итальянцы. И остаемся в дураках и в своем неведении.

Наконец, если из поколения в поколение людям, чтобы выжить, приходится приспосабливаться к тем, кто их завоевал: улыбаться им, льстить им, делать вид, что почитают их и счастливы служить им, — разве это не влияет на формирование национального характера? Разве это не способствует появлению причудливого замеса, состоящего из лицемерия и презрения, лицедейства и внутреннего чувства превосходства?

Возвращаюсь к пассажу, вызвавшему, наверное, ваше недоумение, а именно к словам о том, что никаких итальянцев нет в общепринятом смысле слова. Нет итальянца, которого мы все придумали себе, нет этого простодушного, веселого, услужливого, вечно улыбающегося парня. А есть сложнейшая смесь, быть может, самая сложная среди всех европейцев.

Теперь — о тех итальянцах, которых я называю моими. «Мои» они по той же причине, по которой «моими» являются те места, о которых я уже написал: они не только стали частью моей жизни, они мою жизнь изменили, потому что благодаря им я по-другому стал смотреть на мир. Их список — и некоторые мои соображения о них — привожу ниже в алфавитном порядке, с указанием дат рождения и смерти. Цель этого одна: показать, что совершенно не имеет значения, является ли человек твоим современником или же лет на семьсот тебя старше. Важно лишь то, что он думал, творил, оставил после себя. Я не стану рассказывать вам биографии этих людей, все они доступны в Интернете, речь пойдет лишь о том, каким образом и почему они стали «моими».

o—o

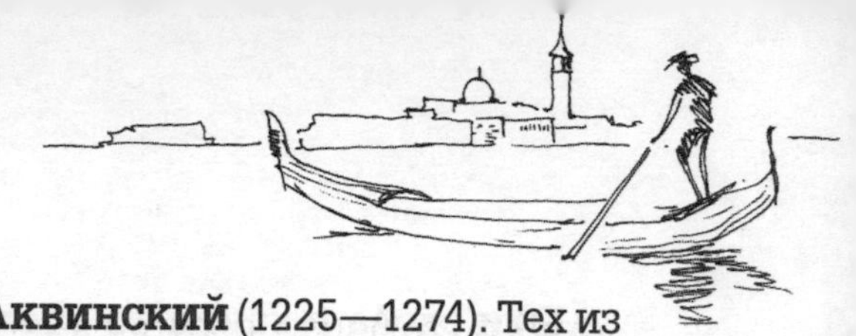

Святой Фома Аквинский (1225—1274). Тех из вас, кому известно, что я атеист, мой выбор конечно же удивит. И напрасно. Атеизм вовсе не предполагает слепоту и глухоту ко всему, что касается веры, вовсе не исходит из того, чтобы a priori отвергать размышления человека верующего.

Позвольте вас спросить: доводилось ли вам читать хотя бы одну работу Фомы Аквинского? Если нет, то настоятельно советую заполнить этот пробел. Это был и великий мыслитель, и великий поэт. Когда-то, много лет назад, я набрел на следующую цитату из его «Summa Theologica», написанной приблизительно в 1265 году: «Если бы все зло было предотвращено, свет лишился бы многого добра. Лев перестал бы жить, если бы не было убивания животных; и не было бы терпения мучеников, если бы не было тирании преследования».

Меня совершенно поразила эта мысль: без зла нет добра. Не просто нет в физическом смысле, но нет *вообще*, нет об этом представления; а коль скоро так, кто же мы? Ведь с тех пор, как существует человек, представление о добре и зле — чуть ли не суть нашего бытия. Вся религия (не только христианская), вся философия, все сказки основаны на этом представлении. Наше вековое стремление к самоусовершенствованию — это разве не борьба между добром и злом?

А если нет добра, значит, нет и зла? То есть нет этого явления в нашей этике, в нашей морали? А что тогда есть?

Эти слова в какой-то степени перевернули мои представления о мире, о человеке. И подтолкнули меня в сторону поиска сведений о том, кем был этот, дотоле мне неизвестный, итальянец.

Вот еще цитата из Фомы Аквинского (датируемая 6 декабря 1273 года; ему оставался год с небольшим до смерти): «Все, что я написал, похоже на соломинку по сравнению с тем, что я видел и что открылось мне». А написал он очень много. Собственно, его труды легли в основу католицизма и по сей день не превзойдены. Не могу сказать, что я согласен со всеми его посылами и утверждениями. Но я восхищаюсь его убежденностью (что особенно ценно в наши дни — убежденность, но никак не фанатизм) и изяществом изложения мыслей. Если вы ничего не прочитаете из его писаний, ознакомьтесь хотя бы с его пятью доказательствами существования Бога. Не для того, чтобы разрешить собственные сомнения, а чтобы насладиться красотой мысли.

Умер Фома Аквинский престранным образом: он ехал на осле в Лион на Собор с задачей примирения католицизма и православия. По дороге ему на голову упала тяжелая ветка. Удар оказался смертельным: он скончался в монастыре, куда его доставили и где безуспешно пытались вернуть к жизни.

Святой Петр и Фома Аквинский

Рака с останками святого Фомы Аквинского покоится в соборе Якобитов в Тулузе. Помню, я долго стоял перед ней и вел молчаливый разговор с этим человеком, который семь с лишним веков тому назад размышлял о том же, о чем размышляем мы сегодня.

Микеланджело Антониони (1912–2007). Есть, как мне кажется, фильмы, которые меняют нас навсегда. Невозможно объяснить, как именно. Но меняют. Что-то там внутри происходит — входишь в кинотеатр одним человеком, выходишь чуть другим.

Так подействовали на меня два фильма Антониони — «Blowup» (в русском переводе — «Фотоувеличение») и «The Passenger» (в русском переводе — «Профессия журналист»).

Могу совершенно определенно сказать, что никогда, ни до, ни после, я не видел более сильного художественного доказательства бессмысленности существования. Люди полагают, что они общаются, понимают друг друга, говорят на одном языке, но все это — заблуждение. Казалось бы, страшно. Да, конечно, страшно, но в то же время очаровывает поразительное мастерство. Не только очаровывает, но поражает и восхищает. И непонятно, почему остается надежда на то, что вопреки всему люди прорвутся друг к другу. Да, в течение всей жизни мы пытаемся преодолеть то, что нас разделяет. Антониони, с одной стороны, убеждает нас, что это невозможно. А его высочайшее мастерство, безупречная художественность, с другой стороны, демонстрируют нам, что это не так, потому что искусство и есть главный прорыв человека к человеку.

Меня можно упрекнуть в том, что я ничего не говорю о великой трилогии Антониони: «L'Avventura» («Приключение»), «La Notte» («Ночь»), «L'Eclisse» («Затмение»), но ведь я не кинокритик и не занимаюсь выставлением фильмов в ранжир. Я пишу о тех картинах, которые изменили мои представления о жизни, о людях, а трилогия Антониони, несмотря на всю ее гениальность, к ним не относится.

Впрочем, в определенном смысле относится: именно в ней я впервые увидел Монику Витти, актрису, которая потеснила в моем сознании всех остальных и остается для меня одной-единственной и недосягаемой...

Антониони прожил долгую жизнь — он умер в девяносто четыре года. И умер (сообщаю об этом не без удовольствия) атеистом.

o—o

Джованни Боккаччо (1313–1375). Представьте себе, что вы прочитали следующее предложение: «Для каждого захоронения они выкапывали огромные рвы, куда прибывавшие сотнями трупы складывали слоями друг на друга, словно товар складывают на корабле».

Согласитесь, это вполне можно принять за описание того, что происходило, например, в Аушвице. Или во время блокады Ленинграда. И я не имею в виду то, что описывается, я имею в виду то, как это описывается, то есть язык.

Вы не пытались прочесть какие-либо русские тексты, относящиеся к середине XIV века? Если пробовали и если вы не специалист в области древнерусской письменности, то вы не поняли ничего или почти ничего. Это же самое можно сказать об английской литературе того времени, ярчайшим представителем которойбыл Джеффри Чосер: читается, но лишь в случае, если вы хорошо образованы, — да и то с огромным трудом. Боккаччо же читать легко, и это меня сразило. Но не только это.

Джованни Боккаччо. XV в.

Раскрывая «Декамерон», я совершенно не представлял себе, что не смогу закрыть его, пока не дойду до последнего предложения. Для меня Боккаччо оказался первым в истории рассказчиком. Я считаю рассказ самым трудным из всех литературных жанров. Если вдуматься — вряд ли наберется хотя бы десять великих мастеров рассказа: Чехов, О. Генри, Мопассан, Киплинг, Сэлинджер, Зощенко... Но все названные мной писатели (и неназванные — я мог кого-то забыть) — это, говоря в целом, наши современники, представители XIX–XX веков. Выходит, Боккаччо опередил всех лет этак на четыреста! Но и это не все.

В «Декамероне» я выделил бы три темы: женскую, эротическую и церковную. Во всех трех Боккаччо выступает отважнейшим сторонником того, что мы ныне называем прогрессом. Он изящнейшим образом показывает зависимость женщин от «мужского мира», отстаивает совершенно крамольную для того времени мысль об их равноправии. Это во-первых. Во-вторых, он доказывает, что секс — это не только естественно, но и хорошо, это наслаждение, к которому следует стремиться. Напоминаю, речь идет о середине XIV века, когда церковь всесильна, не говоря о предрассудках. Боккаччо же устами своих героев (семи женщин и трех мужчин) подвергает священнослужителей такой смеси иронии, презрения и здорового смеха, что я по

сей день не понимаю, каким образом он избежал публичного сожжения.

Для меня Боккаччо — первый подлинно свободный писатель. Он как-то сказал следующее о живописи Джотто: «Зрение обычного смертного часто терялось, столкнувшись лицом к лицу с его творениями, оно воспринимало нарисованный предмет за реальный объект».

По поводу Боккаччо я сказал бы так: разум обыкновенного смертного часто мутнеет от понимания того, что написанному — почти восемь веков, и ощущения, что написано это вчера.

o—o

Микеланджело Буонарроти (1475–1564). Я уже писал о нем и вроде добавить нечего. Я был в городке Пьетросанто недалеко от испорченного новыми русскими Форте деи Марми. Там, рядом с этим городком, расположенным высоко в горах, находятся места, где добывают знаменитый каррарский мрамор. То, что там жил Микеланджело, понятно, но когда я оказался у его дома, на стене которого прибита табличка: «Здесь с такого по такой-то год жил и работал...», то совершенно обомлел и застыл. Я попытался представить себе, как я лет этак пятьсот тому назад попал бы в Пьетросанто и встретил Микеланджело. Что бы я сказал ему? И что бы он ответил? Судя по всему, у него

Микеланджело Буанарроти.

Копия с картины Марчелло Венутти. 1535 г.

был препротивный характер и, несмотря на все свое величие и гениальность, он завидовал другим, в частности Леонардо да Винчи (который не завидовал никому). Завидовал он зря: ведь Леонардо (к счастью для Микеланджело) не занимался скульптурой, а Микеланджело почти не занимался живописью, так что они в самом деле не конкурировали ни в чем, кроме одного: кого из них считать большим гением. И Микеланджело прекрасно понимал, что это Леонардо. И думаю, это понимание мучило его всю долгую жизнь.

Что до меня, то Леонардо кажется мне не совсем человеком. Не богом, конечно, но почти богом, как, например, Геракл. Микеланджело же для меня реально живой человек с любовью и ненавистью, с ревностью и восхищением, с величием духа и мелочностью. Он в своей скульптуре совершенно недосягаем, он — единственный — владел тайной общения с мрамором, и то, что сделал он, не сделал никто, включая Родена.

o—o

Антонио Вивальди (1678–1741). Из-за этого человека я полюбил скрипку и из-за него же не научился играть на ней.

Мне было совсем мало лет, семь или восемь, когда я впервые услышал этот инструмент. Это случилось дома, в Нью-Йорке, мама слушала по радио программу «The Firestone Hour», посвященную классической музыке. И вдруг до меня донесся какой-то совершенно удивительный звук. Я прильнул ухом к радио и простоял так несколько минут. Когда же музыка кончилась, мама сказала мне:

— Это сочинил Вивальди. Называется «Времена года».

Я стал спрашивать, кто такой Вивальди, и, узнав, что он был великим скрипачом, заявил, что хочу научиться играть на скрипке. Думаю, мама очень обрадовалась этому: она любила и хорошо знала классическую музыку, жалела, что не смогла учиться игре на фортепьяно, а тут ее *petit Vova** вдруг сам пожелал взять в руки не бейсбольный мяч, а скрипку.

Правда, папа отнесся скептически к моему увлечению. Он, думаю, помнил собственный детский опыт, когда его заставляли ходить к учителю игры на рояле. Занимался он мало, особых успехов не добивался, но много лет спустя объяснял это тем, что вслед за ним на урок приходил вихрастый мальчик в очках, которого учительница выставляла в качестве примера и требовала, чтобы папа «слушал, как прекрасно играет Митенька». Митенька был будущим Дмитрием Дмитриевичем Шостаковичем, и папа говорил, что именно из-за Шостаковича не стал пианистом.

Как бы то ни было, мама нашла учителя, купила мне маленькую скрипку, и я пошел на урок. Может быть, именно тогда меня постигло первое в жизни настоящее разочарование. Оно случилось тогда, когда я попытался извлечь из скрипки первую ноту: раздался совершенно омерзительный звук.

Вам знаком анекдот о том, как в Одессе (ну где еще?!) Циперович спрашивает Рабиновича: «Ты умеешь играть на скрипке?», а тот отвеча-

---

* Маленький Вова (*фр.*) — так она звала меня в отличие от «большого Вовы», моего отца.

Антонио Вивальди. Франсуа Морелон дё ля Кавэ. 1723 г.

ет: «Не знаю, не пробовал». Это был мой случай. Я, конечно, понимал, что не буду сразу играть, как Вивальди, но чтобы у меня вышло настолько отвратительно — этого я никак не ожидал. И в тот же самый момент я понял, что не хочу больше заниматься.

Мама не была готова к такой скорой капитуляции и требовала, чтобы я ходил на уроки.

Однако я так и не научился играть ни на скрипке, ни на чем-то другом. О чем очень сильно жалею. Но виноват не я, а Вивальди!

Кстати, лишь много лет спустя я понял, что тогда, когда мама слушала радио, играл не Вивальди.

Леонардо да Винчи (1452–1519). Иногда меня спрашивают: если бы вы могли взять интервью у любого из когда-либо живших или живущих на свете людей, кого бы вы выбрали? И я отвечаю: Леонардо да Винчи.

Мне могли бы возразить: а как же Иисус Христос? Мохаммед? Будда? Что вы скажете относительно Юлия Цезаря? Платона? Сократа? Александра Македонского? Чингисхана? И так далее. Но мой выбор остается неизменным: Леонардо.

О нем написаны тома, но точнее и лучше всех о нем сказал Джорджо Вазари:

«Небесным произволением на человеческие существа воочию проливаются величайшие дары, зачастую естественным порядком, а порой и сверхъестественным; тогда в одном существе дивно соединяются красота, изящество и дарование, так что к чему бы ни обратился подобный человек, каждое его действие носит печать божественности, и, оставляя позади себя всех прочих людей, он обнаруживает то, что в нем действительно есть, то есть дар Божий, а не достижения искусства человеческого. Именно это и видели люди в Леонардо да Винчи, в котором сверх телесной красоты, не получившей сколько-нибудь достаточной похвалы, была еще более чем безграничная прелесть в любом поступке; а дарование его было так велико, что в

любых трудных предметах, к которым обращалась его пытливость, он легко и совершенно находил решения; силы в нем было много, и соединялась она с легкостью; его помыслы и поведение были всегда царственны и великодушны, а слава его имени разлилась так далеко, что не только у своего времени было оно в чести, но еще более возросло в потомстве, после его смерти».

Хочу напомнить вам, что Вазари писал этот текст всего лишь через тридцать с небольшим лет после смерти да Винчи, иными словами, он фактически был его современником, а ведь о современниках так не пишут.

Я встречался с Леонардо четырежды. Первый раз это было в Москве в Музее изобразительных искусств имени Пушкина на выставке Европейского портрета. Каких там только не было художников! Я ходил от Рембрандта к Гольбейну, от Гольбейна к Дюреру и тихо умирал от счастья. В основном зале все портреты были расположены в форме подковы, так что волей-неволей зритель, начиная с одного из двух концов подковы, приближался неизбежно к ее центру. И вот, совершенно неожиданно для себя, я оказался лицом к лицу с «Дамой с горностаем» Леонардо. И замер. Все остальное исчезло: не только портреты, но и люди. Это была какая-то мистика. Между этой прекрас-

Леонардо да Винчи. Автопортрет

ной женщиной и мной возникла связь, я не мог оторвать от нее глаз, я был заворожен ею. И навсегда запомнил невыразимо прекрасную руку, которой она придерживает горностая. Я пришел в себя потому лишь, что услышал, как меня вежливо просят чуть отойти в сторону, чтобы дать другим посмотреть. Оказалось, я стоял там почти двадцать минут. Ушел я сра-

зу, не стал смотреть на другие портреты, не было ни сил, ни желания. Я тогда впервые понял, что такое сила гения.

Вторая встреча произошла в Лувре, по-моему, в 1979 году и была вполне преднамеренной. Я, как и миллионы других, видел несчетное количество репродукций «Джоконды», и они не производили на меня ни малейшего впечатления. Я решил, что дело тут в привычке людей следовать общепринятому — в данном случае, общепринятой оценке этого портрета. И шел с целью убедиться, что это именно так. Лувр был оккупирован тысячами разбитых на группы японцев, которых возглавлял гид, державший высоко над головой флажок для опознавания. Они шли, слушая в наушниках записанные объяснения и продвигаясь от картины к картине. Когда я подошел к «Джоконде», мне сказачно повезло: группа японцев отошла, образовалось свободное пространство, куда я шагнул и... замер. Я был ошеломлен. «Джоконда» была несказанно прекрасна, в ее полуулыбке я увидел легкую насмешку над моими сомнениями, и я заплакал. От счастья. От радости, что я ошибся. От восторга.

Третья наша встреча произошла в Уффици. Если вы бывали там, то помните, что во многих залах картины выставлены не по годам, а по темам. Так, есть зал «Благовещение». Что ни работа, то шедевр. Я иду по залу, наслаждаюсь прекрасным и вдруг, краем глаза, вижу проход в следующий зал, где на стене висит... что-то. Не могу разобрать что, но оно притягивает меня с неодолимой силой. Приближаюсь, словно околдованный. Работа не завершена. Это «Поклонение волхвов», которую Леонардо начал и потом бросил (он этим грешил), но в ней такая мощь, такая экспрессия, такой восторг, что вновь для меня все остальное исчезает. Пишу об этом, и мурашки бегают по коже.

Четвертая встреча была в Лукке в Музее изобретений Леонардо. Об этом невозможно рассказать, это надо увидеть. Ведь речь идет о последней четверти XV века, но изобретения эти относятся, скорее, к XX веку, и непостижимо, как человек того времени мог придумать такие вещи. Не стану их перечислять, но не могу воздержаться от поворотного моста, велосипеда, автомобиля и летательного аппарата. Если добавить к этому, что Леонардо был блестящим математиком и инженером, философом, архитектором и анатомом, что ему принадлежит идея об использовании солнечной энергии, равно как и открытия в области оптики и гидродинамики, то голова начинает идти кругом.

Я думаю, что ему было все подвластно, что если бы захотел, он мог бы стать и олимпийским чемпионом в любом виде спорта.

Одного я не могу понять: отчего Леонардо никогда не занимался скульптурой?

Лукино Висконти (1906–1976). Фильм «Rocco e i suoi Fratelli» («Рокко и его братья») вышел в 1960 году. Мне было 26 лет, и примерно тогда я его и увидел. С тех пор прошло полвека, но я помню этот фильм почти покадрово. Эта, в общем, обычная история о том, как бедная семья с юга Италии едет в Милан, чтобы заработать на жизнь, сделана так, что становится историей обобщающей, всецело тебя охватывающей. Я помню, как в какой-то момент я вдруг понял, что стал членом этой семьи, что ее беды и радости стали моими, что я неспособен смотреть на происходящее со стороны.

Эта была чуть ли не первая (и, на мой взгляд, лучшая) роль Алена Делона. Висконти сделал из него не красавца (каким он был и остается по сей день), а ангела, но страдающего, но нежно любящего, но вызывающего сострадание. Я тогда не смог простить Висконти сцену, в которой старший брат Рокко-Делона на его глазах насилует его девушку, которую блистательно играет Ани Жирардо. Не смог простить, потому что, как мне казалось, есть запрещенные приемы, приемы, против которых нет защиты, и художник не имеет права пользоваться ими. Прошло много лет, пока я понял, что это сцена не об изнасиловании, а о безнадежности, о безысходности, о трагичности бытия; за пятьдесят с лишним лет, прошедшие с тех пор, я ничего более сильного не видел.

Лукино Висконти в Венеции. 1970 г.

Чуть позже я встретился с самим Висконти. Это было на Московском международном кинофестивале в 1963 году, на котором я работал переводчиком-синхронистом. Поскольку мой отец был Ответственным секретарем фестиваля, я имел некоторые привилегии, в частности, у меня был пропуск в бар фестиваля, где собирались именитые гости. Как-то я оказался там за одним столом с Федерико Феллини, Джульеттой

Мазина и Лукино Висконти, которого сопровождал красавец-любовник, немец лет 20 (Висконти никогда не скрывал того, что он — гомосексуалист). Трудно было бы найти двух более непохожих друг на друга людей, чем Феллини и Висконти. Феллини — большой, мощный, с гривой волос и бычьей шеей — напоминал римского легионера. Висконти же — стройный, изящный, как струна вытянутый, тщательно выбритый и постриженный — напоминал римского патриция (каким он, собственно, и был). Оба великих мастера не только ценили, но и любили друг друга, и вот Висконти смотрит ласково на Феллини и говорит:

— Знаешь, Федерико, ты — гений, но тебе не хватает немного... культуры.

Стол чуть ли не опрокидывается от гомерического хохота.

Моя последняя встреча с Висконти была в 1971 году, когда я сумел получить билет на закрытый показ его фильма «Morte a Venezia» («Смерть в Венеции»). Я даже не знаю, с чем сравнить впечатление, которое произвела на меня эта картина. Я только понимаю, что любая попытка выразить это словами тщетна. С одной стороны, все донельзя просто: пожилой композитор приезжает на Лидо, где влюбляется в мальчика-красавца, страдает, сочиняет и умирает от холеры. На самом же деле это и гимн, и реквием, это и «красота спасет мир», и «каждый умирает в одиночку», это картина черно-белая, но она полыхает цветом.

После просмотра я вышел в полном смятении духа, и это чувство так и не покинуло меня.

o—o

Галилео Галилей (1564–1642). Вот уж кого люблю, так люблю! Вот кого я от души обнял бы, случись с ним встреча, затащил бы в какую-нибудь таверну и от души выпил бы с ним.

Как и все светочи Возрождения, Галилей был не только великим ученым, физиком, но и поэтом, но и живописцем, да много что еще. Но главное: он был *инакомыслящим*. Нет, вы только подумайте: кругом пылают костры всесильной инквизиции, добрые люди друг на друга доносят, чтобы получить свои кровные 30 сребреников, а этот на голубом глазу заявляет, что не Солнце вращается вокруг Земли, а Земля вращается вокруг Солнца.Караул! Церковь в смятении и ужасе! Того гляди, этот еретик скажет, что у него есть научное доказательство, что если поместить гирю и перышко в вакууме, они упадут на землю с одинаковой скоростью! Ату его!

Ну и потащили Галилея в высокий церковный суд. «Отрекись! — говорят свободные, независимые и справедливые судьи. — Отрекись, а то...» И Галилей, мой любимый Галилей, ум-

Галилео Галилей. Юстас Сустерманс. 1635 г.

ница и гений, посмотрел им в глаза, увидел в них злобу, ненависть и тупость и подумал: «А пошли вы все...» — и отрекся.

Но что мы, что весь мир запомнил? А то, что на смертном одре он сказал: «А все-таки она вертится!» Нако-ся, выкуси! И тем самым Галилео Галилей остался не только великим ученым, он стал навечно великим образцом для подражания, образцом духа человеческого.

И когда в мрачные брежневские годы Юрий Петрович Любимов поставил в Театре на Таганке пьесу Бертольда Брехта «Галилей», и Галилея в ней играл Владимир Высоцкий, это был просто-напросто апофеоз диссидентства, апофеоз инакомыслия, не только демонстрация власти кукиша, но и, как говорят ныне, мессидж для публики: мол, вот как надо, вот что можно.

Ай да Галилей!

Ах, да, забыл рассказать вам, что во время наших съемок по Италии я встретился с одним из иерархов католической церкви, кардиналом Равази (это интервью размещено во второй части этой книги), и не преминул напомнить ему, что лишь совсем недавно Церковь признала правоту Галилея: Земля-таки вертится вокруг Солнца, а не наоборот.

– И как же так получилось, что вам, священникам, потребовалось пятьсот лет, чтобы признать свою ошибку?! — спросил я (признаюсь, с нагловатой улыбкой).

Кардинал поднял взор к скрытому потолком небу, будто там, высоко-высоко таился ответ, тяжело вздохнул и сказал:

– Мы же всего лишь люди.

Джакомо Казанова (1725–1798). Так и слышу: «А Познер-то, небось, эротоман! У него в героях ходит Казанова!» Эх, вы!..

Передо мной лежит толстенная книга. Называется она «История моей жизни». Автор — Джакомо Казанова. В этой книге одиннадцать томов, чуть меньше полутора тысяч страниц. И она совершенно восхитительна. Никто не поведал о том времени точнее, искуснее и талантливее, чем Казанова.

Один из самых почитаемых писателей Великобритании XX века, В.С. Притчетт, так написал о воспоминаниях Казановы: «Казанова – непревзойденный воссоздатель каждодневной жизни Европы восемнадцатого века. От шлюхи до патриция, от шкафа до бюро, от дока до дворца — таков его диапазон. Он превосходит всех других эротических писателей удовольствием, которое черпает в новостях, в пересудах, в личности его любовницы».

Среди тех, с кем Казанова общался, были Вольтер, Гёте и Моцарт, его принимала в Санкт-Петербурге Екатерина II, он получал звания и ордена, подвергался гонениям и заключению, в том числе в знаменитой венецианской тюрьме Пьомби (считалось, что из нее невозможно сбежать, а Казанова сбежал).

В нем сочетались изящество Арамиса, авантюризм Джеймса Бонда, любовный пыл Дон Жуана и благородство Дон Кихота. Живи он се-

Джакомо Казанова. Антон. Рафаэль Менгс. 1760 г.

годня, за ним охотились бы все — от голливудских продюсеров и режиссеров до папарацци и первых красоток мира.

Я не сомневаюсь, что втайне подавляющее большинство мужчин завидуют Казанове, а женщины мечтают о встрече с ним.

Христофор Колумб (1451–1506). На самом деле престранный персонаж. Итальянец по происхождению (родился в Генуе), но служил испанской короне. Открыл Америку, но до конца своих дней настаивал, будто это Индия (правда, не «восточная», как назвали настоя-

щую Индию, а «западная»). Мимоходом замечу, что в действительности Америку открыл варяг Лейф Эрикссон в XI веке, то есть за четыреста лет до Колумба, но я пишу сейчас не о древних скандинавах, а об итальянцах. Так что Колумб был первым не по хронике, а по значимости своего подвига. Ведь все остальные великие мореплаватели — Америго Веспуччи, Фернан Магеллан, Васко да Гама —

Христофор Колумб. Себастьяно дель Пьомбо. XVI в.

все они были потом, я даже думаю, что, не будь Колумба, они тоже не появились бы.

Позволю себе спортивную аналогию: скажем, в какой-то стране — например, в Швеции — никогда не было выдающегося теннисиста. Потом неизвестно откуда возникает Бьерн Борг, один из величайших теннисистов в истории этого спорта, и он порождает целую плеяду выдающихся шведских теннисистов, таких как Андерс Яррид, Иоаким Нистром, Ионас Бьоркман, Матс Виландер, Стефан Эдберг, Робин Содерлинг... Колумб для мореплавателей — тот же Борг.

И еще: вы никогда не интересовались размерами флагманского корабля Колумба — «Санта Марии», — на котором он поплыл навстречу вечной славе? Я этим вопросом не задавался и, случайно узнав, обомлел: водоизмещение — 200 тонн, длина – 23 метра, ширина — 7,6 метра. Рядом с яхтой какого-нибудь младоолигарха — карлик

o—o

Никколо Макиавелли (1469–1527). Я думаю, что это был необыкновенно обаятельный, остроумный (не говорю «умный» — это хорошо известно), веселый человек, блестящий собеседник, но такой, который не только великолепно говорил, но умел слушать и слышать — другого.

Размышляя о его судьбе, я лишний раз убеждаюсь в верности русской пословицы о том, что нет худа без добра. В 1513 году Макиавелли был арестован и обвинен в государственной измене, но твердо отрицал свою вину и в конце концов был освобожден, после чего уехал из Флоренции в Сант'Андреа. Он провел там семь лет, и именно там, в деревне, написал те работы, которые увековечили его фамилию. Нет у меня сомнений: не попади Макиавелли в опалу, он так и не создал бы ничего.

Вот отрывок из письма, написанного им в тот период другу:

«Я встаю с восходом солнца и направляюсь к роще посмотреть на работу дровосеков, вырубающих мой лес, оттуда следую к ручью, а затем к птицеловному току. Я иду с книгой в кармане, либо с Данте и Петраркой, либо с Тибуллом и Овидием. Потом захожу в постоялый двор на большой дороге. Там интересно поговорить с проезжающими, узнать о новостях в чужих краях и на родине, наблюдать, сколь различны вкусы и фантазии людей. Когда наступает обеденный час, я в кругу своей семьи сижу за скромной трапезой. После обеда я возвращаюсь снова на постоялый двор, где обычно уже собрались его хозяин, мясник, мельник и два кирпичника. С ними я провожу остальную часть

Никколо Макиавелли. Санти ди Тито. XVI в.

дня, играя в карты... С наступлением вечера я возвращаюсь домой и иду в свою рабочую комнату. У двери я сбрасываю крестьянское платье все в грязи и слякоти, облачаюсь в царственную придворную одежду и, переодетый достойным образом, иду к античным дворам людей древности. Там, любезно ими принятый, я насыщаюсь пищей, единственно пригодной мне и для которой я рожден. Там

я не стесняюсь разговаривать с ними и спрашивать о смысле их деяний, и они, по свойственной им человечности, отвечают мне. И на протяжении четырёх часов я не чувствую никакой тоски, забываю все тревоги, не боюсь бедности, меня не пугает смерть, и я весь переношусь к ним».

По-моему, совершенно пронзительные слова. Мне жалко того, кто не читал Макиавелли, потому что он, этот не читавший, лишил себя целого пласта истории и культуры. Что до меня, я перечитывал его несколько раз и каждый раз восхищался точностью, изысканностью и глубиной мысли. Вот два моих любимых соображения этого аристократического флорентийца:

«Многие вообразили республики и княжества, которые в реальности не видел никто и которые никогда не существовали; ибо то, как мы живем, настолько отличается от того, как мы должны были бы жить, что тот, который бросит то, что сделано, в пользу того, что следовало бы сделать, скорее поспособствует собственной гибели нежели сохранению».

Мне кажется, что ни Маркс, ни тем более Ленин не читали этого. И еще:

«Нет иного пути обезопасить себя от лести, как добиться того, чтобы, говоря вам правду, люди понимали, что не оскорбляют тебя; но когда всякий может говорить тебе правду, тебя перестают уважать».

От себя добавлю: если тебе льстят, не говорят правды, то ты неизменно теряешь представление о реальности, из-за чего начинаешь принимать ошибочные решения. А не хуже ли это ситуации, когда ты теряешь уважение окружающих?

Хотел бы я задать этот вопрос Макиавелли. Кто его знает, может, еще удастся.

o—o

Амедео Модильяни (1884–1920). О нем написаны девять романов и одна пьеса; сняты один документальный и три художественных фильма. И это о человеке, который умер в полной нищете и обменивал свои картины на обеды в ресторане. А ведь в 2010 году одна из его «Обнаженных» была продана на аукционе за шестьдесят девять миллионов долларов...

О нем можно рассказать бесчисленное количество забавных историй, начиная с той, когда он своим рождением спас семью от разорения. Дело в том, что его отец, вполне успешный торговец, все потерял из-за внезапно грянувшего экономического кризиса. Кредиторы наслали

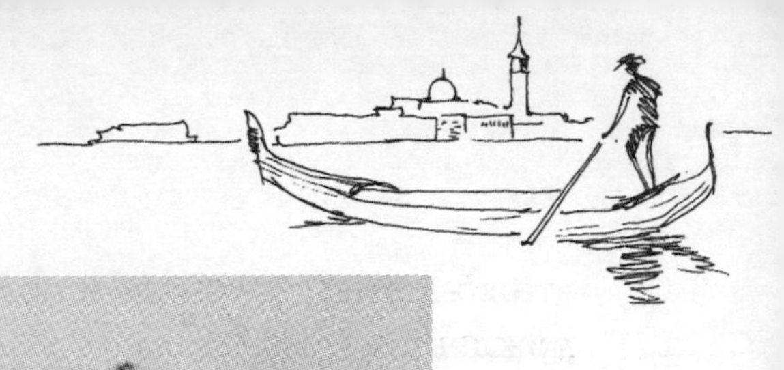

Амедео Модильяни. 1918 г.

на него пристава, чтобы забрать все имущество. Но по древнему закону запрещалось забирать кровать беременной или только что родившей женщины, а как раз, когда вошел пристав, у матери Модильяни начались схватки. Ценности семейства были навалены на нее, и пристав ушел ни с чем.

Это история в духе итальянского неореализма — тут и драматизм, и юмор. Но случались и страшные вещи... Модильяни умер в тридцать пять лет от туберкулеза, его жена Жанна Эбютерн, будучи на девятом месяце беременности, выбросилась из окна пятого этажа дома родителей и погибла вместе с нерожденным ребенком.

Что до меня, то я влюбился в Модильяни с первого взгляда. Его женщины с длинными шеями, капризными и чуть безвольными ротиками, зелеными глазками, эти лица, похожие на маски, меня притягивают и не отпускают. В них есть волнующая эротика, обещание чего-то неизведанного, тайна, известная только Модильяни.

Говорят, он страшно конкурировал с Пикассо. Для меня они настолько разные, что не представляю их конкурентами. Правда, к Пикассо известность и деньги пришли довольно рано, в отличие от Модильяни, которого слава настигла лишь после смерти.

Все-таки жизнь несправедлива.

o—o

Федерико Феллини (1920–1993). Его просто не с кем сравнивать. Разве что с Чаплиным.

Мое первое знакомство с Феллини состоялось при просмотре фильма «La Strada» («Дорога»), и с этого момента он стал одним из тех немногих, без кого я не смог бы обойтись.

Помните классический вопрос: если бы тебе предстояло поселиться на необитаемом острове, произведения каких трех авторов ты взял бы с собой? Отвечаю: все сочинения Шекспира, все сочинения Баха и все фильмы Феллини.

Федерико Феллини и его жена Джульетта Мазина. 1955 г.

Кино имеет свойство устаревать быстрее других видов искусства, ведь оно в значительной степени зависит от техники. Но Феллини (как и Чаплин) не устаревает. Не могу объяснить себе, почему. Очевидный и довольно тривиальный ответ: потому что гений не устаревает никогда. Может быть.

Попробуйте рассказать содержание любого фильма Феллини. Ничего не получится. Его фильмы не имеют фабулы, нет в них ни начала, ни конца (в повествовательном смысле). Так что же держит, что привораживает? А то, что Феллини рассказывает о тебе. Не спорьте, это так. О чем бы он ни делал кино, это история о тебе, о твоей жизни, о твоей тоске и радости, о твоей любви и горе, обо всем, что касалось, касается и коснется тебя.

«Я памятник воздвиг себе нерукотворный...»

— Конечно!

«И долго буду тем любезен я народу...»

— Конечно!

«Веленью Божию, о муза, будь послушна, Обиды не страшась, не требуя венца, Хвалу и клевету приемли равнодушно И не оспоривай глупца».

— Конечно!

Поэтов в кинематографе очень и очень мало, может быть, всего один. И имя ему — Федерико Феллини.

VENEZIA

ЧАСТЬ II
ИНТЕРВЬЮ

АЛЬБАНО

Вот ведь как странно. Я всегда считал, что певцы — люди... ну, как бы это сказать... не очень умные. Особенно певцы эстрадные. Почему? Не знаю. Знаком ли я с большим количеством эстрадных певцов? Нет. Есть ли основания для такого моего мнения? Нет. А поди ж ты... Поэтому встреча с Альбано меня поразила. Ну, ходит такой мужчина в не снимаемой им соломенной шляпе, из-под которой выбивается длинная шевелюра... «О чем говорить с ним?» — мучительно думаю я. И оказывается, что он не только умный, не только тонкий, но одинокий и страдающий человек, который все еще мечтает о том, как исправить мир.

о—о

Познер: Скажите, пожалуйста, где мы находимся, что это за место?

Альбано: Мы находимся, собственно, в моем доме, который я построил в 1971 году. После многолетнего опыта жизни в Риме и Милане мы решили обосноваться на юге Италии, именно там, где я родился.

Познер: И здесь не только ваш дом, рядом расположена... даже не знаю, как это назвать... скажем, гостиница — правильно?

Альбано: Все началось со строительства жилого дома. А затем постепенно здесь развилось своего рода целое поселение, усадьба с гостиницей, рестораном, баром и всем тем, что позволяет чувствовать себя менее одиноким.

Познер: Из какой-то части этой гостиницы, я слышал, доносилось детское пение, мне показалось, что там большое количество детей. Что это такое?

Альбано: А, да, я захотел создать здесь, в этом местечке, детский сад. Дети ходят сюда, и должен сказать, их голоса меня умиротворяют. Бывая здесь, я часто подхожу туда, не показываясь, и мне нравится слушать детскую речь, потому что для меня — это жизнь, которая только начинается.

Познер: Ваши родители отсюда?

Альбано: Да. Здесь есть один очень старый лес (в свое время вся территория области Пулья была покрыта лесами), и небольшую часть этого леса, остававшуюся нетронутой, я купил в те же годы, в шестьдесят девятом. Мой прадед зараба-

Альбано

тывал себе на жизнь угольщиком в этом лесу. Я никогда и представить себе не мог, что однажды мне доведется купить этот старый хутор, а затем и построить здесь целую усадьбу. Мои родители родились в этих краях, а я бежал отсюда в возрасте семнадцати лет, но затем, добившись успеха, вернулся к своим истокам, в родное гнездо.

Познер: Сравните для меня Северную Италию, где вы очень долго жили, и Южную Италию, где вы родились, росли и куда, в конце концов, вернулись. Это две разные Италии?

Альбано: Это абсолютно две разные Италии, и они особенно сильно различались в пятидесятые—шестидесятые годы, когда шла очень большая волна эмиграции из южной в северную часть страны — туда, где были деньги, были заводы, была работа. Я же искал свою дорогу, свой мир в области «легкой» музыки и нашел его. Эта была Италия двух колоритов, двух цветов. Фантастическое солнце, великолепный климат — здесь, но при этом и бедность. А там, на севере, все бесцветно: постоянные туманы, холод, особенно зимой, но и возможность реализовать себя, что и случилось со мной и со многими другими. Я могу также сказать, что люди в любой части мира испытывают разные влияния. Влияние на север было более позитивным, если говорить о финансовой стороне вопроса, поскольку он граничит с более богатыми странами — Швейцарией, Австрией, Германией, Францией. Мы же выходим на Средиземное море, вокруг нас — Албания, Греция и другие бедные государства. Иными словами, существует некая борозда, разделяющая эти два мира, — богатство и бедность.

Познер: А вы можете назвать, какова для вас главная черта итальянца с севера и итальянца с юга? Главная черта характера?

Альбано: Человек Северной Италии — это деньги, а житель Южной Италии словно говорит: «Я хочу денег».

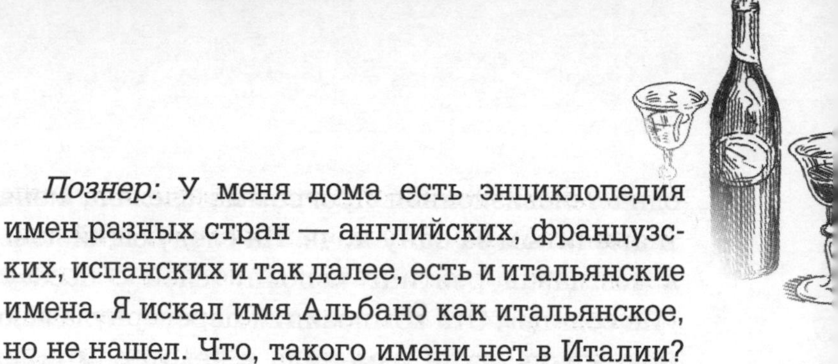

Познер: У меня дома есть энциклопедия имен разных стран — английских, французских, испанских и так далее, есть и итальянские имена. Я искал имя Альбано как итальянское, но не нашел. Что, такого имени нет в Италии? И откуда тогда оно у вас?

Альбано: Нет, имя Альбано не очень распространено, но оно существует. Есть местечко с таким названием недалеко от Рима, есть озеро Альбано, городок и гора Альбано. Но мое имя, то есть его этимология, объясняется тем, что мой отец в годы Второй мировой войны сражался в Албании и сказал моей матери: «Когда родится ребенок, если это будет мальчик, назови его Альбано. Это принесет нам удачу». Помоему, так и получилось. Когда я хочу пошутить со своими друзьями, то всегда говорю: я настолько известен, что моим именем назвали и озеро, и гору, и городок.

Познер: Вы можете определить год, когда действительно стали знаменитым? В какое время люди заговорили об Альбано, с какой песней пришел успех?

Альбано: Вы имеете в виду в Италии или?..

Познер: В Италии, Италии.

Альбано: Это случилось в шестьдесят седьмом году. Я уже записал к этому моменту пару пластинок, работал с кланом Адриано Челентано. Затем сменил фирму звукозаписи и начал сотрудничать с известной «Эмми». И одна телевизионная программа сделала меня знаменитым за одну ночь. На следующий день я возглавил рейтинг исполнителей с песней «На солнце». Эта композиция перевернула всю мою жизнь, даже изменила в некотором роде эстрадную музыку Италии того времени. И кроме того, из этой песни родился фильм. В те годы так поступали: когда какая-нибудь песня расходилась тиражом более миллиона экземпляров (а я продал ее тиражом более миллиона), индустрия кинематографии тут же покупала права и делала фильм. В этом фильме снялись великие актеры того периода — Франко Франки, Чечилия Сия и многие другие. Среди них была и молоденькая американская актриса Ромина Пауэр. И началась совсем другая история, абсолютно неожиданная, абсолютно непредвиденная, интересная.

Познер: Она стала вашей женой?

Альбано: Мы снимались затем вместе во многих фильмах — думаю, что в семи. И в каждом фильме были объятия, свадьбы, любовные сцены. И так, находясь между игрой, шуткой — таковы были требования кинофильмов — и нашими человеческими влечениями и потребностями, мы пришли к тому, что поженились.

Познер: Сколько времени вы были вместе?

Альбано: С шестьдесят... Тридцать— тридцать один год вместе.

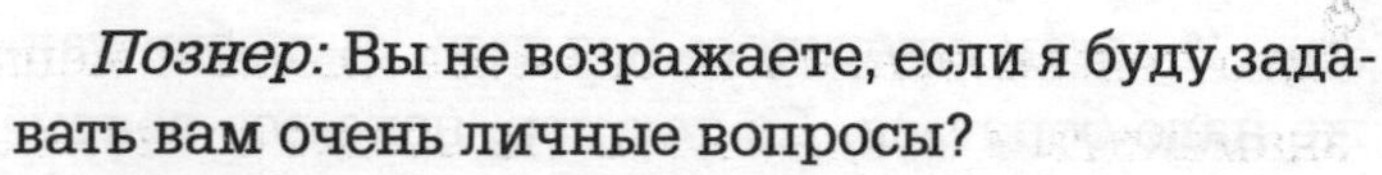

Познер: Вы не возражаете, если я буду задавать вам очень личные вопросы?

Альбано: Пожалуйста.

Познер: Вы расстались, хотя ваша история приводится в пример как идеальный роман. Что произошло между вами и супругой?

Альбано: Это была очень насыщенная, очень яркая, очень правдивая, очень поучительная история. Но как и во всех сюжетах, у нее есть начало и, к сожалению, конец. Я никогда не мог представить, что после стольких лет эти отношения могут закончиться. Но... наступило время конца. Я должен был согласиться с ним. И думаю, что это правильно, потому что в отношениях с кем-либо всегда лучше находиться в любви и ради любви, нежели оставаться в положении, которое приводит к очень плохим, никчемным результатам.

Познер: Я задал вам этот вопрос, потому что... Я сейчас скажу вещь, которую обычно интервьюеры не говорят... Я сам прожил со своей женой тридцать семь лет и потом расстался. Это было очень непросто. И поэтому мне интересно узнать, как вы дальше жили после тридцати лет совместной жизни, любви?

Альбано: Я с детства учился бороться. Я боролся, чтобы выбраться с юга Италии. Я боролся, когда был в Милане, практически никого не зная, в своего рода джунглях, и день за днем пробивал себе путь, к тому же с большим успехом. И затем случилось вот так... В любви также надо бороться. До тех пор, пока все вокруг было хорошо и прекрасно, я чувствовал себя ангелом, мы были на седьмом небе от счастья, мы оба были ангелами, которые летали там... Но приходит время приземляться... и ты начинаешь это осознавать... Но никогда нельзя становиться жертвой никаких обстоятельств. Я хочу научить этому своих детей — необходимо иметь здоровое чувство гордости, желание продолжать, нужно понимать, что неприятности могут случаться, но следует научиться разрешать их. И я сделал бы своим девизом такую фразу: «Я хочу быть проблемой для тех проблем, которые встают передо мной!»

Познер: Поговорим о музыке. Что вы думаете о сегодняшней популярной музыке, той, что вы называете легкой? Какова она в сравнении с музыкой конца пятидесятых — шестидесятых годов, в которые вы начинали? Как вы считаете, что произошло?

Альбано: На мой взгляд, речь идет не только о музыке. Достаточно посмотреть вокруг: на одежду, на машины, на мотоциклы, на самолеты — все вокруг меняется... Особенно много перемен произошло за последние десятилетия двадцатого века. Это был период больших инноваций, бурного развития идей и существа жизни... И, следовательно, музыки, поскольку она всегда отражает действительность.

Музыка развивается. Она может быть хорошей и не очень — это решает публика. А ты должен всегда идти в ногу со временем... Конечно, когда ты хочешь погрузиться в великую музыку, в плаценту музыки, тогда достаточно позвонить мистеру Бетховену, мистеру Пуччини, мистеру Джузеппе Верди, Баху, Генделю... кого еще вспомнить? Шуберту... поскольку это — действительно великая, бесподобная, монументальная музыка. Но затем, всплывая на поверхность, ты вновь оказываешься в сегодняшнем дне, и ты никогда не должен упускать это из вида... А, забыл. Конечно, я имел в виду также и великого Чайковского, извините меня.

Познер: Я вырос в Америке и с раннего детства очень любил джаз. То были сороковые годы. И этот джаз совершенно отличался от того, который сегодня существует. Он был гораздо более радостным, гораздо более позитивным и, в общем, гораздо более понятным и идущим от сердца, нежели нынешний, идущий от головы, не слишком эмоциональный, довольно холодный и безрадостный. Можете ли вы сказать, что примерно то же самое происходит и с легкой музыкой?

Альбано: Практически да. Кроме того, если мы вернемся к тем годам, на которые вы ссылаетесь, необходимо учитывать, что джаз происходил прежде всего из страданий темнокожего, негритянского населения, и это было пение, это был звук со вкусом грусти... Он отдавал одиночеством, имел оттенок перенесенного насилия и унижения. Современный нам джаз — это джаз интеллектуалов, снобов. Да, он холодный, именно холодный и иногда даже докучливый. В легкой музыке происходят процессы того же рода. Я не хотел бы утверждать, что в ней теперь нет страстей. Можно было бы сказать, что она в большей степени дочь сегодняшнего дня, дочь компьютеров, других измерений, которые родились с прогрессом. Но достаточно вернуться к своим корням — потому что все еще есть великие музыканты, все еще есть великие композиторы. Однако и публика должна быть соответствующей, способной почувствовать и понять, где есть настоящая, мощная и здоровая музыка. А она есть.

Познер: Что сегодня вам очень нравится в Италии и что очень не нравится?

Альбано: Мне абсолютно не нравится то, как и какая политика проводится в Италии. Не знаю, плохой ли это комедийный спектакль в исполнении столь же плохих комедиантов, либо речь идет о полнейшей деградации и упадке в области политики. К счастью, я хорошо знаю или думаю, что хорошо знаю, талант итальянцев. Это народ, способный существовать и двигаться вперед без правительства. Такова великая правда об итальянском народе, потому что истинное правительство — это люди на площадях, в домах, семьях, это люди, которые настроены позитивно и которые уже не могут более терпеть неразбериху, не имеющую ни вкуса, ни смысла настоящей политики. Ведь политика нужна для того, чтобы правильно руководить народом, чтобы вести его вперед и в культурном, и в экономическом, и в социальном отношении. К сожалению, в последние годы, да впрочем, и всегда Италия не могла занять четкую осознанную позицию. Путешествуя по миру, я убеждаюсь в том, что Италия — великая страна. И нам повезло в том, что мы страна, которую очень любят. Но любят прежде всего за то, чем Италия была в течение двух — двух с половиной тысяч лет, а не за то, чем она является сегодня. Нам нужно новое Возрождение.

Познер: Вы сказали о том, что вам не нравится. А что вам нравится?

Альбано: Думаю, что я ответил и на этот вопрос: мне нравится в итальянском народе то, что он способен руководить страной самостоятельно. Он самодостаточен, созидателен, и кроме того, даже в национальной кухне он всегда находится в поиске лучшего. Да, он хранит кулинарные традиции, но в то же время ищет что-то новое в сравнении с этими традициями. И затем диалектика, великая культура. Слава Богу, мы живой народ. Повторяю: единственная вещь, которая вызывает многочисленные вопросы, — это чрезмерная политическая деградация.

Познер: Встречаясь с итальянцами во время этих съемок, я спрашиваю: если бы я мог съесть только одно итальянское блюдо, — вы как раз упомянули кухню, — что вы посоветовали бы мне попробовать? И где это делают лучше всего?

Альбано: Я думаю, что итальянцы могут обидеться, если им задать такой вопрос, поскольку в каждом доме (и я подписываюсь под этим) есть свое особое блюдо. В моем доме можно поесть такие спагетти, которые не встретишь больше ни в одном уголке мира. Их я готовлю сам, я изобрел этот рецепт. Он уникальный и неповторимый.

Познер: Самостоятельно готовил спагетти и замечательный итальянский тенор, которого вы, вероятно, знали. Я имею в виду Паваротти. Вы лучше его делаете спагетти?

Альбано: Я не пробовал его спагетти, хотя был дома у Паваротти, и мы обедали вместе. Должен отметить, что я никогда больше не встречал человека, который ел бы с таким удовольствием и в таком невероятном количестве. Помню: он сидит, а на животе у него стоит большая тарелка... да, на животе. В руке — вилка, на столе — две бутылки вина «Ламбруско», охлажденные, и несметное количество тальятелли. И я подумал: «Этого вполне достаточно...» Но затем появились отбивные, колбаски... Это было невероятно. Он пожирал все. И сейчас, рассказывая об этом, я вижу его... Вижу прежде всего счастье, которым буквально светились его глаза, были полны его жесты, вижу его удовольствие. С ним приятно было обедать вместе — естественно, соблюдая меру. Но, повторяю, никогда я не видел человека, который ел бы так много и так «вкусно», как Великий Паваротти.

Познер: Вы знаете, я родился во Франции. Для французов вино — вещь особая. А для итальянцев что такое вино?

Альбано: В моей памяти запечатлелось, будто я попробовал вино раньше, чем молоко. И это не шутка. Для нас культура вина священна. В каждом доме каждый крестьянин, каждый житель производил вино. И в каждом доме оно было свое, отличавшееся по вкусу. Это было восхитительно — та атмосфера в период, когда вино еще не перебродило. Ты ходил по улицам и пьянел от аромата бродившего вина. А потом — первое вино, и встречи, и то состояние расслабленности, которое этот напиток вызывал у нас, молодых. Мой дед был первым, кто дал мне попробовать вино. Моя мать страшно (и справедливо!) рассердилась, потому что я был очень маленьким. Но этот факт, этот момент я никогда не забывал. А вино нужно для того, чтобы создать приятную атмосферу: будь ты в обществе с женщиной, которую любишь, или в компании друзей, или просто в семье. Но речь, конечно, идет о вине с большой буквы.

Познер: Вы производите вино?

Альбано: Когда я бежал с юга Италии, я обещал отцу добиться того, о чем сейчас вам рассказываю. «Может быть, я делаю ошибку, что уезжаю, — сказал я, — но знай: добившись успеха (а я его добьюсь!), я построю большую винодельню, и первое вино будет носить твое имя». Он ответил: «Ты, парень, полон мечтаний и фантазий, но помни, что действительность гораздо суровее, чем ты себе ее представляешь». Я, конечно, понимал это, но был решительно настроен и уверен, что достигну всего... И со временем я создал свою первую винодельню, произвел свою первую бутылку вина, на которой было написано «Дон Кармелло», так как моего отца звали Кармелло. И он тогда развел руками: «Да, одно тебе действительно удалось сделать». В 1973 году у меня была моя первая «вайнери» — винодельня.

Познер: Насчет успеха. Вы помните, сколько у вас было золотых дисков и сколько платиновых?

Альбано: Ну, думаю... тридцать золотых и около десятка платиновых, может быть, больше... Недавно Греция выпустила пятнадцать моих платиновых дисков, и один из них я записал вместе с одним греческим певцом. Тут необходимо пояснить. Этого греческого певца зовут Янис

Путатос. В детстве у него был кумир — Альбано. Он добился большого успеха, но мечтал записать со мной альбом. И мы сделали это. Было продано триста пятьдесят тысяч экземпляров диска с песнями на греческом языке, которые исполнил он, на итальянском, которые спел я, и несколькими совместными нашими песнями. И это было очень неожиданно: 13 мая в Греции мне вручили пятнадцать платиновых дисков.

Познер: Триста пятьдесят тысяч?

Альбано: Для такой маленькой страны, как Греция, это просто чудо. Это как продать пять миллионов экземпляров в Европе.

Познер: Скажите, пожалуйста, вы, насколько я знаю, часто выступали в Европе. А приходилось вам давать концерты в Америке и где именно?

Альбано: В Америке? Очень много! В «Линкольн-сентр», в «Метрополь»... где еще? Действительно много. Первый концерт состоялся в 1967 году, а потом почти каждый год-два. Приходили не только итальянцы, но и латиноамериканцы, и русские. За последние десять лет было немало русских.

Познер: Какая разница между публикой американской, европейской, например итальянской, и русской, если она есть? Как все они реагируют — или примерно одинаково?

Альбано: Итальянская публика хочет сама быть участником представления. Поэтому следует оставаться внимательным и говорить: «Минуточку, здесь пою я, а не вы!» Ты должен уметь устанавливать правила и порядок. А причина очень проста: они считают тебя своим. И когда ты появляешься перед ними, начинают требовать: «Эй, спой мне эту песню, ту песню». Но я говорю: «Минутку, за программу отвечаю я, а вы можете слушать». Необыкновенная публика — это японцы. Для артиста — предел мечтаний. А также русские люди.

Познер: Хотя в Японии совсем другая музыкальная культура, они, по-видимому, чувствуют и европейскую музыку?

Альбано: По моему мнению, они делятся на группы, которые охватывают и изучают культуру американскую, или итальянскую, или русскую. Меня приходит слушать, естественно, не весь японский народ. Но те, кто был на моем концерте, знали обо мне намного больше, чем я мог предположить. Они чрезвычайно подготовлены.

Познер: Вы за свою жизнь слышали многих из тех, кто занимается вашим делом, то есть поют не классику, а легкую музыку: французов, итальянцев, разумеется, американцев. Кто для вас как-то выделяется, кого вы назвали бы особенным, оставившим след?

Альбано: Один из них — Паоло Понте, настоящий мастер, колосс... Я все же не сказал бы — великий певец, но во всем, что он делает, есть особая душа. Во Франции есть великий Мишель Сарду, великий Азнавур, с которым я очень хорошо знаком. Я также имел удовольствие петь с Жильбером Беко, который также — один из... Это певцы, услышав которых, ты говоришь, что они отмечены Богом, озарены изнутри особым светом, у них своя манера пения, манера подавать себя... Из итальянцев мне очень нравился Доменико Модуньо — автор песни «Воларе» и многих других песен. Между прочим, он родился здесь, в двух с половиной километрах от моего дома... Можно поговорить об Адриано Челентано, который был, есть и навсегда останется в эстрадной музыке. Это персонаж, не подпадающий ни под какую классификацию, ни под какую оценку. У него абсолютно свой, индивидуальный вокальный тембр и особый выбор тематики песен, которые порой тебя полностью поглощают — настолько они интересные. Одним из моих учителей был Рэй Чарльз... Всех этих певцов я открыл для себя, оказавшись в Милане. Там передо мной раскинулись новые музыкальные горизонты, новое измерение. Потому что здесь мы жили в условиях монокультуры эстрадной музыки. Здесь мы слушали классику и певцов типично итальянских, то есть великого Паоло Гуилла, Ниллу Пицци и других. Но не хватало той духовности в пении, которой обладали негритянские исполнители. Величайшим для меня среди них был Рэй Чарльз. Я начал ценить группу «Битлз» после того, как прослушал их песни в исполнении Рэя Чарльза.

Познер: Я имел счастье интервьюировать Рэя Чарльза, как и вас, и это оставило в моей памяти очень глубокий след.

Альбано: Да?

Познер: Я думаю, что он был гением.

Альбано: Он был гением. Говоря о нем, я все еще ощущаю трепет. Я слушал его сначала на пластинках, а потом, когда он приезжал в Италию, не пропускал ни одного его выступления. И каждый раз он был невероятно великолепным, невероятно... Он смотрел на мир через свой голос, через свое желание видеть. И заставлял тебя увидеть свой мир, погруженный во тьму и в то же время освещенный лучами особенного, музыкального света.

Познер: Я хочу вам рассказать чуть-чуть о моем интервью с Рэем Чарльзом. Вы знаете, что он потерял зрение в пять лет? И он мне говорил, что его мама...

Альбано: Извините, ведь у него были те же проблемы, что и у Бочелли. Бочелли — в шесть лет.

Познер: Нет, Бочелли позже, в двенадцать. Так вот, его мама заставляла его работать, как будто он все видел. Например, рубить дрова. И соседи говорили: «Ну как же вы заставляете его, он же слепой?» А она отвечала: «Да, он потерял зрение, но не потерял мозги». И учила его всегда преодолевать трудности. И еще

он мне рассказал, что, уже будучи более или менее известным, он пел, как Нат Кинг Коул — очень похоже. И все восклицали: «Настоящий Нат Кинг Коул!» Но однажды ему приснилась его мама. «Будь Рэем Чальзом!» — посоветовала она. И на следующий день он стал петь по-другому, и родился настоящий Рэй Чарльз.

Альбано: На мой взгляд, это очень типичная история, потому что каждый из нас, когда рождается как певец, имеет учителя, выбирает себе учителя. Я помню, что в начале моей карьеры мой вокал походил на Дзукерро, Синатру и Доменико Модуньо, то есть это был сплав, слияние этих трех больших голосов. Но затем постепенно я отходил от этого. И окончательно отошел, именно слушая негритянских певцов, прежде всего Рэя Чарльза, потому что он передавал такой пафос, такие чувства, которых другие не имели.

Познер: В завершение нашего разговора я хочу задать вам несколько вопросов, требующих только коротких ответов. Это вопросы, которые когда-то задавались французскому писателю Марселю Прусту и потом стали хрестоматийными — существует так называемый «вопросник Марселя Пруста». Там вопросов много, но я выбрал лишь некоторые из них.

Альбано (франц): Я ищу утраченные...

Познер: Повторюсь, что ответы должны быть по возможности короткими... Что для вас счастье?

Альбано: Это угорь, которого ты можешь взять в руки, но который ускользает от тебя.

Познер: Что такое несчастье?

Альбано: Это взрыв внутри тебя, оставляющий в тебе следы, от которых ты хочешь как можно быстрее избавиться.

Познер: О чем вы больше всего жалеете?

Альбано: Я жалею о том, что в этом мире не хватает общей «культуры мира».

Познер: Каким талантом из тех, которых у вас нет, вы хотели бы обладать?

Альбано: Мне хотелось бы быть всесильным политиком и удалить слово «война» из словаря каждого из нас, хотя я понимаю, что это — утопия.

Познер: Если бы вы встретили дьявола и он предложил бы вам бессмертие без каких-либо условий, вы приняли бы это предложение?

Альбано: Я хочу остаться человеком. Я знаю, что есть начало, есть период отсрочки, вздоха между двумя вечностями тишины — это и является жизнью. И я не хочу торговаться ни с каким дьяволом.

Познер: Когда и где вы были наиболее счастливы?

Альбано: У меня было немало моментов счастья: детство, бедное, но очень счастливое; первые влюбленности, первые сочинения; первый большой успех; первые дети, свадьба. В целом, если подводить итоги, то моментов счастья я испытал достаточно много.

Познер: Когда вы предстанете перед Богом, что вы Ему скажете?

Альбано: «Если я ошибся — извини меня. Я это сделал не специально».

Познер: Спасибо. И последний вопрос: представьте, что я, чужестранец, могу посетить одно-единственное место в Италии. Что посоветуете?

Альбано: Место это здесь — Пулия!

МОНИКА БЕЛУЧЧИ

Нет ничего хуже попытки договориться об интервью со звездой — эстрады ли, театра ли, кино ли, все одно. Звезду окружает глубоко эшелонированная оборона в лице агентов, секретарей и прочих лиц, у которых одна задача: не допустить вас до нее. Для этого есть множество способов. Например, потребовать от вас непомерное количество денег. Так, агент Софи Лорен за интервью с ней назвал нам сумму в двести пятьдесят тысяч (!) евро. Интервью, понятно, не состоялось. Другой способ — назначать, а потом переносить день и время встречи. Мою встречу с Моникой Белуччи переносили пять (!) раз. Идея проста: либо отпадет желание, либо все будет просрочено. Признаюсь, был момент, когда мне хотелось послать Белуччи и все ее окружение куда подальше. Но звезда для документального фильма — это как драгоцен-

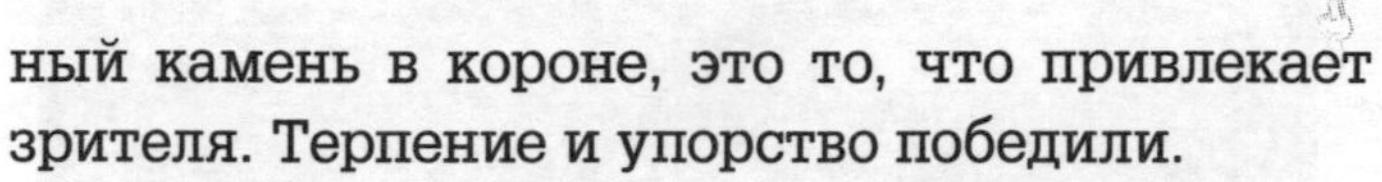

ный камень в короне, это то, что привлекает зрителя. Терпение и упорство победили.

Интервью состоялось в старинном парижском особняке, где Белуччи участвовала в фотосессии для журнала «Татлер» (особняк не ее, а из тех, которые сдаются хозяевами для свадеб, званых ужинов и тому подобного).

Я знал, что Моника Белуччи красива, но не был готов к тому, что меня ожидало. Моника Белуччи не просто красива. Она ослепительно красива. Не той чистой, ангельской красотой Рафаэля, которая меня совершенно не волнует, а плотской, зовущей, возбуждающей. Я сидел напротив нее и пытался разглядеть в ней хоть какой-нибудь изъян — тщетно.

Общалась Моника абсолютно естественно, не «строила» из себя никого. Кроме того, она умна и не лишена чувства юмора. Так что переносы и ожидание оказались оправданными.

Познер: Мы с вами однажды встретились в Москве. Что вы там делали? Какова была цель вашего визита?

Белуччи: Вообще, я была в Москве трижды. Два раза приезжала по приглашению Картье и еще один раз, последний, с Дольче и Габбана — мы друзья и уже давно сотрудничаем.

Познер: Было еще что-то для «Мартини» или нечто в этом роде — нет?

Моника Белуччи

Белуччи: Да, мы делали совместный проект, также с Дольче и Габбана, для «Мартини».

Познер: Понятно. Есть легенда, что, будучи студенткой, вы якобы зарабатывали на жизнь в пиццерии...

Белуччи: Нет!

Познер: Это неправда?

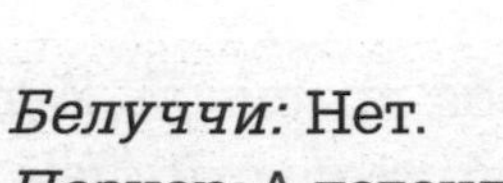

Белуччи: Нет.

Познер: А легенда гласит, что вы там работали, и патрон в конце концов вас уволил — мол, из-за вашей красоты все мужчины Перуджи ходили туда, а их жены были этим недовольны. Поэтому вам указали на дверь.

Белуччи: Нет, это просто выдумка. Хотя я считаю, что это прекрасно — иметь возможность зарабатывать на жизнь с самых юных лет, быть независимой и так далее. Но нет, я училась в университете в Перудже, на юридическом факультете, и одновременно работала моделью, поэтому сначала переехала в Милан, затем в Париж, в Нью-Йорк, а потом бросила университет, так как работы стало очень много. Можно сказать, я предпочла просто жить. Я была очень молода, но рано повзрослела, поскольку мне требовалось стать экономически независимой. Это заставило меня жить взрослой жизнью, но я была еще очень и очень юна.

Познер: Вы не жалеете, что бросили юриспруденцию?

Белуччи: Нет. Сейчас я часто сотрудничаю с адвокатами, и порой их работа кажется мне чересчур скучной по сравнению с тем, чем занимаюсь я.

Познер: Ах, вот как? Понятно... Что для вас значит красота, женская красота?

Белуччи: Красота — это состояние души. Я всегда говорю, что самое важное — не быть красивой, а чувствовать себя красивой. И это, скорее, идет от внутренней зрелости, чем от внешних данных. Я считаю, что красота без умственных способностей, без чувств ничего не стоит. Да, она производит мощный эффект, но он длится не более пяти минут, если за этим ничего не стоит.

Познер: Как говорят американцы — «beauty is only skin-deep»*.

Белуччи: Да, совершенно верно.

Познер: Ясно. Французы говорят: «Чтобы быть красивой, надо страдать», но некоторые на это отвечают: «Чтобы казаться красивой, надо страдать, а чтобы быть красивой, надо просто быть ею». Что вы об этом думаете?

Белуччи: По-моему, для того чтобы быть красивой, нужно хорошо себя чувствовать. Надо принять себя, а чтобы познать себя, требуется с этим работать. Особенно работать над собственной личностью. Я думаю, чем больше ты работаешь над собой, тем больше... Это внутренняя работа, которую необходимо проделать для того, чтобы принять свою внешность. Потому что есть очень симпатичные женщины, не считающие себя таковыми. Следовательно, мы больше зависим от того, что происходит у нас внутри, чем от того, как выглядим.

---

* По смыслу соответствует русской поговорке «С лица воду не пить».

Познер: Вы актриса. Вас считают французской актрисой, итальянской, европейской. А кем вы сами себя считаете?

Белуччи: Ох, мне всегда казалось, что это очень скучно — говорить о себе... Просто мне посчастливилось сниматься в итальянских и французских фильмах, время от времени в американских, мне нравится сотрудничать с разными режиссерами. И в какой-то момент моя работа перестает быть просто актерской игрой — это уже человеческий опыт, очень интересный, поскольку ты общаешься с людьми, которые говорят на разных языках, являются носителями разного культурного наследия. Для меня это человеческие открытия, а не только актерская работа.

Познер: Есть ли для вас принципиальная разница между европейским кинематографом и американским?

Белуччи: Мне кажется, когда ты стоишь перед камерой, большой разницы нет. Потому что актерская игра — это актерская игра. Будь то во французском, итальянском или английском кино — меняется только язык. Конечно, разница в том, что в Европе меньше средств, чем в Штатах. То есть трейлер поменьше, съемочная команда состоит из меньшего количества людей, снимать нужно быстрее, на площадке меньше народу... Но перед камерой ты просто актер, наедине со своим одиночеством в процессе создания роли, независимо от языка.

Познер: Почему, как вам кажется, американский кинематограф господствует и является популярным во всем мире? Например, возьмем французские фильмы — во Франции они хорошо известны, но в мире — не особенно. То же самое можно сказать об итальянском кино.

Белуччи: Да, оно было популярно... В прошлом. Оно было великолепно...

Познер: Да-да, так было, но давно.

Белуччи: Сейчас действительно все непросто...

Познер: Однако американское — везде в Европе, даже в Японии, где совсем другая культура... В чем, на ваш взгляд, секрет американских фильмов?

Белуччи: Мне кажется, что, скажем прямо, они хороши. Давайте называть вещи своими именами! Они действительно хороши. Есть очень интересное авторское кино, которое снимают талантливые люди, и есть фильмы, рассчитанные на широкую публику — они очень качественно сделаны, с поразительными спецэффектами. Ну и примите также во внимание невероятные экономические возможности, позволяющие иметь такие прокатные права, которые нам недоступны. Вот так. И фильмы хорошие, и американцы отлично защищают свой рынок. В то же время... Я жительница Европы, и я люблю европейское кино, но я также люблю

и индийское кино, и китайское, и японское, и иранское... И по-моему, нас, европейцев, чрезвычайно интересует то, что происходит во всем остальном мире...

Познер: Гораздо больше, чем американцев!

Белуччи: Да, они, вероятно, более ориентированы на свой рынок. Таким образом, лично для меня быть европейской актрисой — это суперразвитие. Потому что я могу сниматься в американском фильме, но также работаю во французском, в итальянском кино... Вот недавно я снялась в иранском фильме, снятом режиссером Бахманом Гобади...

Познер: Он уже закончен?

Белуччи: Да, закончен. Съемки только что завершились. Я провела месяц в Стамбуле...

Познер: Это фильм о политике?

Белуччи: Это фильм о любви, но в нем также говорится об Иране до и после иранской революции. Я вдруг обнаружила, что, будучи европейской актрисой, имею возможность расширять свой кругозор и выстраивать отношения с кинематографами, которые сильно отличаются от кинематографа моей страны... Американцы же действительно создают потрясающие картины, которые идут в прокат во всем мире, но сами несколько замкнуты в собственном пространстве по сравнению с нами.

Познер: Есть ли актрисы, которые стали для вас источником вдохновения?

Все эти фотографии я сделал, пока Моника Белуччи позировала для журнала «Татлер»

Белуччи: Да весь кинематограф меня вдохновляет! Естественно, мне очень нравится итальянское кино. Конечно, сейчас не так много итальянских фильмов с международной славой, но тем не менее это был кинематограф, послуживший школой для всего мира. Феллини, Росселини, Висконти, Де Сика и все великие итальянские актрисы, которые...

Познер (кивает): Антониони...

Белуччи: ...Антониони. И все великие актрисы, которые стали частью этого кинематографа, — Маньяни, Лорен, Лоллобриджида, Мангано, Моника Витти... Эти женщины стали эмблемами благодаря таланту, красоте и женственности, и эти их качества настолько бесспорны, что они, можно сказать, установили диктатуру всемирной женственности.

Познер: Мы сейчас снимаем документальный фильм об Италии, поскольку этот год — год Италии в России. И я уже общался со многими итальянцами, мы много попутешествовали и еще продолжаем ездить по Италии. Но везде и всем я задаю один и тот же вопрос: что лично для вас означает «быть итальянцем»?

Белуччи: Для меня это... Это я. В том смысле, что Италия — часть моей личности, моего способа мышления, действия, это просто мой стиль жизни! Страна происхождения определяет даже то, как ты ешь! Иначе говоря, это то, как ты смотришь на само существование! Я думаю, Италия — страна, у которой есть немало недостатков, как и у многих других стран, но в то же время нас часто воспринимают как «прекрасную страну», страну, где есть искусство, красота, хорошая еда, хорошая жизнь... Это все же страна, которую отличает любовь к жизни. И действительно, несмотря на то, что порой политическая или экономическая ситуация бывает очень сложной, во время своих многочисленных путешествий я всегда встречаю... как бы это сказать... очень благожелательное, очень нежное отношение: «А, вы итальянка? Обожаю Италию, обожаю итальянцев!». Мне кажется, в других странах нас всегда принимают с большой любовью.

Познер: Да, это так. Но вы живете во Франции, а едите по-итальянски?

Белуччи: Ну, на самом деле я живу между Римом, Лондоном и Парижем. Это три моих города...

Познер: А как Лондон появился в этом списке?

Белуччи: Лондон... Просто я очень люблю Лондон. Для меня он служит неким мостиком между Европой и Америкой. И это город, где я чувствую себя очень свободно по сравнению с Францией и Италией — обожаемыми мною! Но там я ощущаю себя... как бы это сказать... То есть я знаю там многих, многие знают меня...

Познер: ...тогда как в Англии вы как бы инкогнито?

Белуччи: Да-да, в Англии я чувствую себя... Англичане более...

Познер: Да-да-да, я понимаю...

Белуччи: У них есть понятие частной жизни... что совсем неплохо. Так что я достаточно много времени провожу в этих трех городах. За исключением тех моментов, когда работаю и порой внезапно уезжаю куда-то... неизвестно куда.

Познер: Италия только что отпраздновала стопятидесятилетие объединения. Как вы считаете, стала ли она наконец настоящим государством? Объединилась ли она или пока еще в каком-то смысле находится в процессе самоидентификации?

Белуччи: Думаю, что мы еще в процессе развития, поскольку наше воссоединение, объединение Италии произошло совсем недавно. И Италия состоит из провинций, где говорят с абсолютно разными акцентами. Иногда даже бывает так, что на расстоянии десяти километров друг от друга сосуществуют два разных произношения. Это страна, которая находится в поиске самой себя, и хотя союз уже осуществлен на практике, он еще не укоренился в умах людей. И еще... мне кажется, итальянцам предстоит объединиться духовно.

Познер: Я хотел бы сменить тему и, возможно, задать достаточно деликатный вопрос... И если вы не захотите отвечать, просто скажите об этом. Я где-то читал: вы сказали, что вы не католичка. И что вы не против религии, но она вас интересует с философской точки зрения. И вы нерелигиозны. Это так?

Белуччи: Вообще я получила религиозное образование...

Познер: Да?

Белуччи: Да, у меня религиозное образование, католическое, со всеми причастиями и всем необходимым. Но действительно, скажем так, я верю в важность религии, верю... как в философию, понимаете? Мне всё интересно. А так я, скорее, агностик. То есть я не хочу говорить о том, чего не знаю.

Познер: Понимаю.

Белуччи: Но я ничего не имею против религии. Я признаю значение молитвы, молитва может ко многому привести человека... Да, это так. Но что касается меня — то я больше верю в энергетику.

Познер: Что вас сейчас волнует? Есть ли в мире что-то, что тревожит вас, выбивает из колеи?

Белуччи: Таких моментов немало, как и у всех. Война, насилие... Я вряд ли что-то добавлю к тому, о чем и так все время говорят... И у меня есть дети... Я думаю о будущем, о том, что станет с человечеством... Но мне хотелось бы мыслить позитивно. Мне хочется верить, что человечество создаст что-то лучшее, несмотря на все то, что мы сейчас видим. В Средние века людей пытали и казнили на площадях, и все приходили на это смотреть как на спектакль...

Познер: Точно.

Белуччи: Да. И сегодня насилие тоже существует, но оно как-то более скрыто, возможно, людям стыдно за насилие. Мне хочется думать, что в общечеловеческом масштабе люди поймут: если они разрушают, то и где-то еще кто-то другой тоже что-то разрушает. Я верю в возрождение человечества, которое приведет к пониманию: идти навстречу другому и защищать другого означает также защищать самого себя, ведь это логично. У меня есть дети, и я надеюсь на лучшее. Раньше люди жили по сорок лет, сейчас — по восемьдесят. Я хочу думать, что, несмотря на имеющееся в мире плохое, налицо и пробуждение сознания, и устремление его к чему-то лучшему.

Познер: У вас две маленькие дочки?

Белуччи: Да. У меня две девочки, одной почти семь, а другой один год.

Познер: Они будут жить во Франции?

Белуччи: Ох, пока это маленькие цыгане. Они говорят на многих языках. Ну, младшей всего год, она пока еще мало говорит, но... старшая бегло разговаривает на четырех языках — на французском, итальянском, английском и португальском.

Познер: На португальском?!

Белуччи: Да, потому что мы часто бываем в Бразилии.

Познер: Вы, скорее, оптимистично смотрите на будущее своих детей? Или...

Белуччи: Послушайте, я надеюсь на лучшее, а иначе зачем было заводить детей? Повторю: я хочу думать, что человечество станет лучше...

Познер: Будем надеяться. Что ж, завершаю. Вы хорошо знаете Италию?

Белуччи: Достаточно хорошо.

Познер: Тогда подскажите. Если бы я мог поехать в Италию один-единственный раз и увидеть только одно-единственное место — что-то не туристическое, — что вы посоветовали бы мне посмотреть?

Белуччи: Есть столько всего, я не могу выбрать что-то одно...

Познер: И все-таки, одно-единственное место, которое важно именно для вас, то, на что вы смотрите со слезами на глазах?

Белуччи: Да всё! Потому что ты едешь в Тоскану, в деревню Сенезе, и она великолепна... Едешь в Умбрию, а Умбрия — это сады Италии... Едешь в Милан — это очень живой город, там происходит масса событий... Едешь в Рим — и видишь там самый красивый в мире свет. Едешь на юг — море, солнце, люди... Это Италия, сложно выбрать что-то одно...

Познер: Сложно, что и говорить! Но я бедный человек — могу поехать лишь однажды и увидеть что-то одно. Помогите же мне!

Белуччи: Ну, тогда я назвала бы... Рим. Рим — магическое место.

Познер: Магическое?

Белуччи: Да, для меня Рим — это магия. Для меня Рим — что-то невероятное. Я не римлянка, я из Умбрии. Я приезжаю в Умбрию, чтобы повидаться с семьей... Но Рим — это моя гавань. Я обожаю его... Его свет... Это нечто действительно волшебное... Эта его энергетика...

Познер: Мне он помог найти свои корни. Будучи первый раз в Риме, я посетил Форум, там было совсем мало людей, тихо, поскольку он находится ниже остального города... Я гулял там, среди руин... И тогда осознал, что да, я — европеец и мои корни здесь. Это мне действительно многое дало. И теперь каждый раз в Риме я иду туда... Не по туристическим маршрутам, которых существует великое множество. Там всегда немноголюдно, и это меня привлекает. Вы часто бываете в Риме?

Белуччи: Да, когда есть возможность, я еду туда. Моя дочь родилась в Риме.

Познер: Что вы думаете о Москве? Я не знаю, видели ли вы город, но я не считаю его красивым. Санкт-Петербург очень красив, особенно старая часть, улицы... А Москва... да, там много энергии...

Белуччи: Мне нравится Москва... По-моему, это красивый город. Красивый, интересный...

Познер: Интересный?

Белуччи: Да, там много чего происходит. И русские — особенный народ. Они севернее, но мне кажется, что они очень близки итальянцам.

Познер: Хорошо, но все-таки надеюсь встретиться с вами в Риме. Спасибо вам большое, было очень приятно с вами общаться!

Белуччи: Спасибо вам!

АНДРЕА БОЧЕЛЛИ

Помню, однажды, много лет тому назад, Фил Донахью пригласил меня на свою яхту (очень симпатичная, как ныне говорят, «лодка», ни размерами, ни убранством не напоминающая роскошные корабли российских миллиардеров). Поплыли мы из Уэстпорта на Лонг-Айленде. Фил включил на полную мощность свою первоклассную аудиосистему. И зазвучали сначала женский, а потом мужской голоса, затем после этого вступления мощнейший тенор запел «Time to say goodbye...». Я тогда впервые услышал Андреа Бочелли. Фил был в совершеннейшем восторге от него и сказал мне, что больше всего на свете он жалеет о том, что не родился с таким голосом. Мне же Бочелли понравился, но не более того. Я много слушал записей Карузо, Джильи, Паваротти, меня было трудно удивить.

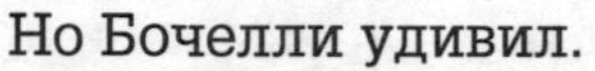

Но Бочелли удивил.

Понятно, я никогда не думал, что буду интервьюировать его.

За прошедшие годы он побил абсолютно все рекорды по продажам записей опер, классических арий, стал обладателем бесчисленного количества призов, премий, наград. Критики-пуристы его ругают. Мол, у него нет школы, он превращает классику в попсу. Жалко их, бедных критиков. Они (как и Фил) хотели бы иметь такой, как у Бочелли, голос, уметь петь, но нет у них ни того, ни другого, этого они не могут простить Бочелли и за это не любят его (в отличие от Фила).

Бочелли удивил меня не пением, хотя его невероятная популярность поражает. Он удивил меня кругозором, взглядом на жизнь, умом, скромностью.

o—o

Познер: Я хотел бы спросить прежде всего о том, как рано у вас проявился музыкальный дар? Когда впервые стало понятно, что у вас он есть?

Бочелли: Я никогда не задавался этим вопросом и так и не знаю до конца, есть ли у меня талант или нет. Но если тебя все время просят петь, значит, твое предназначение — петь. Когда я был ребенком, пение было моим наказанием. Когда к нам в дом приходили гости, меня звали, отрывали от игр с друзьями и просили спеть. И в школе тоже постоянно просили спеть что-нибудь. И тогда я понял, что это моя судьба.

Познер: Я вчера разговаривал с господином Феррагамо, и он рассказал мне, что его отец Сальваторе Феррагамо сделал первые свои туфли, когда ему было девять лет. Но родители не хотели, чтобы он занимался этим делом, и пытались всячески ему мешать. А он все-таки стал великим мастером обуви. Ваши родители помогали вам стать музыкантом, певцом или, наоборот, не хотели этого?

Бочелли: Мои родители всегда старались поддерживать меня в моих интересах и увлечениях. Для моего отца музыка и пение не представляли собой серьезное занятие. Он всегда говорил мне: «Сначала ты должен получить образование, а потом можешь делать все что хочешь».

Познер: Вы поступили на юридический факультет университета в Пизе и стали адвокатом, так?

Бочелли: Да.

Познер: Но вам это не нравилось?

Бочелли: Я старался увлекаться всем, чем мне приходилось заниматься по жизни. То же могу сказать и об учебе на юридическом факультете: она меня затягивала. Почему? Потому что секрет жизни заключается не в

Андреа Бочелли

том, чтобы делать, что ты любишь, а в том, чтобы любить то, что ты делаешь.

Познер: Хорошо сказано, но это очень непросто. Я знаю многих людей, которые не любят то, чем занимаются. Возможно, это вообще одна из трагедий человечества — большинство людей, пожалуй, не любят того, чем занимаются.

Бочелли: Потому что надо найти правильный подход к жизни. Пифагор говорил, что человек ко всему привыкает. Секрет в том, чтобы вырабатывать в себе хорошие привычки.

Познер: Когда вы все-таки решили, что будете профессиональным музыкантом, когда в вас это решение созрело?

Бочелли: Такого решения я никогда не принимал. Это как сила притяжения — музыка притягивала меня к себе. Отец говорил мне: «Когда люди тебя слушают, а потом кричат «браво», это одно, браво в карман не положишь. А вот когда они начнут платить тебе, твое пение действительно обретет ценность». Он говорил это шутя, но в этом есть доля правды.

Познер: Хорошо, тогда я задам вопрос по-другому. Когда вам стали за это платить?

Бочелли: Не скоро. Моя карьера началась тогда, когда у многих она уже заканчивается. Профессионально петь я начал очень поздно. В студенческие годы я играл на фортепиано в разных заведениях, но это, скорее, ради расширения круга друзей, знакомств с девушками — то, что сейчас вульгарно называют пиаром. Я не думаю, что человек многое решает в своей жизни. Мое видение истории очень похоже на видение Толстого. В том смысле, что история сама выбирает своих героев и ставит их на правильное место. Не люди делают историю. Не

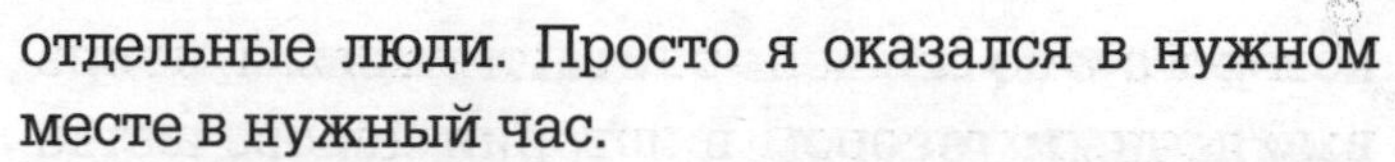

отдельные люди. Просто я оказался в нужном месте в нужный час.

Познер: Вы 1958 года рождения?

Бочелли: Да.

Познер: Выходит, вам было тридцать восемь лет, когда вышел ваш первый золотой диск?

Бочелли: Да.

Познер: Чем вы объясняете феноменальный успех песни «Time to say goodbye»? Почему именно эта вещь пользовалась и до сих пор пользуется такой гигантской популярностью?

Бочелли: Случаются удачные совпадения. В музыке, я имею в виду, хотя и не только в музыке. Примерно то же самое произошло много лет назад, когда великий тенор Беньямино Джильи спел песню «Мама». Когда голос исполнителя гармонично сочетается с мелодией произведения, люди сразу это замечают. Потому что они умеют отличать хорошее от плохого, обычное от необычного.

Познер: Вы поете и популярную музыку, и классическую. Не видите в этом никакого противоречия?

Бочелли: Этим, можно сказать, грешили все теноры прошлого: Карузо, Беньямино Джильи. Все они делали то же самое, но гораздо лучше, чем я. У меня на компьютере около ста песен Беньямино Джильи, именно популярных песен. Он был великим их исполнителем, хотя и считается вторым тенором в истории. Карузо, которого и по сей день считают первым, непревзойденным тенором в истории человечества, оставил после себя много замечательных популярных песен. Важно не выбирать, что петь и что не петь, важно просто хорошо петь.

Познер: Критики — музыкальные критики — к вам довольно строги, особенно в том, что касается вашего исполнения оперных партий. Их отзывы, я сказал бы, не очень добрые — и это мягко говоря. Вы вообще обращаете на это внимание, это вас задевает?

Бочелли: Пока я не был известен, критики писали обо мне превосходно, но как только я добился успеха, огромного успеха, обо мне стали писать плохо. Это отвечает известному афоризму Оскара Уайльда: «Люди прощают тебе все, кроме успеха». И потом должен сказать, что есть еще одна проблема — проблема распространения плохих новостей. Обо мне написано много положительных отзывов, так и оставшихся в журналах, в которых они вышли. И есть несколько плохих, разнесшихся по всей прессе мира, и все это только потому, что я немного знаменит. В конце концов жизнь рассудит. Через несколько лет мы посмотрим, кто будет более известен — я или критики, которые обо мне написали. Однако я всегда серьезно отношусь к написанному и внимательно все читаю, даже если это негативная критика. Потому что если отзыв чест-

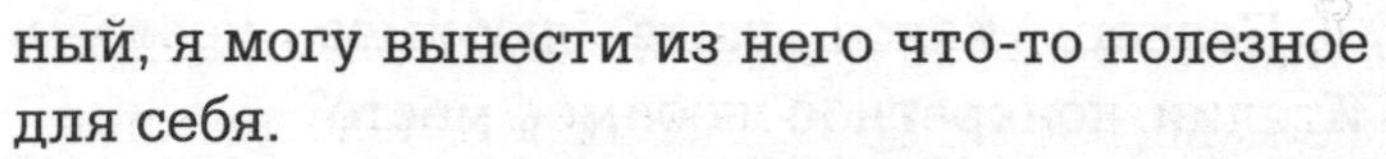

ный, я могу вынести из него что-то полезное для себя.

Познер: А что такое для вас успех?

Бочелли: Зависит от того, под каким углом зрения смотреть на него. Лично для меня успех в карьере — это любовь, которую мне дарят слушатели. С технической точки зрения успех можно определить как способность прославить то, чем ты занимаешься, и сделать так, чтобы это славилось и ценилось как можно дольше.

Познер: А вы слушаете собственные записи?

Бочелли: Во время работы над диском — да, а потом нет, я стараюсь слушать что-нибудь другое. Я не могу многому научиться, слушая лишь то, что делаю сам.

Познер: Есть ли концерты, выступления, которые вам особенно запомнились?

Бочелли: Очень сложно выбрать после стольких насыщенных лет. Должен признать, что у меня немало прекрасных воспоминаний. Можно вспомнить мой дебют в опере, некоторые концерты — например, концерт под башнями-близнецами, еще до трагедии, или под египетскими пирамидами, или концерт перед Папой Римским... Все это воспоминания, которые останутся со мной навсегда.

Познер: Вы позволите, я задам вам несколько вопросов, не имеющих отношения к музыке?

Бочелли: Хорошо.

Познер: Какое ваше любимое место в Италии, конкретное любимое место?

Бочелли: Мой дом.

Познер: А есть ли у вас любимое блюдо?

Бочелли: Как у настоящего итальянца — паста.

Познер: Вы не оригинальны. Давайте я задам вам серьезный вопрос. В 2010 году вышел видеоклип, ставший очень известным, в нем вы говорили о том, что могли не родиться из-за аборта. Его посмотрели на сайте Youtube сто сорок тысяч человек. И вы сказали, что как настоящий, искренний католик боретесь не только против чего-то, но и за что-то, а именно за жизнь. Вы помните это?

Бочелли: Я отлично это помню.

Познер: Тогда я хотел бы спросить: вы не считаете, что женщина имеет право решать, рожать ей или не рожать?

Бочелли: Естественно, женщина имеет на это право. Однако, по-моему, с точки зрения морали было бы лучше обсудить этот вопрос с отцом ребенка и постараться вместе принять наиболее правильное решение. Очевидно, что последнее слово за женщиной. Но поскольку в процессе принимали участие два человека, было бы вернее, по крайней мере, обсудить это вдвоем.

Познер: Но ведь порой даже неизвестно, кто отец, бывают и такие случаи.

Бочелли: Эти случаи более сложные. Вообще такой выбор всегда трудно делать, к нему надо

отнестись со всей осторожностью и сначала хорошо все обдумать. И будет лучше, если женщина посоветуется и поговорит с близкими ей людьми, неравнодушными к ее судьбе. В одиночестве не следует принимать подобные решения.

Познер: Из ваших слов я понимаю, что вы не сторонник закона, запрещающего аборты?

Бочелли: Как я сказал в той записи, о которой вы упомянули, я предпочитаю направлять свою энергию на то, чтобы помогать людям. Считаю нецелесообразным растрачивать ее на борьбу с чем-либо.

Познер: Какая, на ваш взгляд, наиболее серьезная проблема в Италии, что вас больше всего беспокоит, если что-нибудь беспокоит?

Бочелли: Меня многое волнует. В Италии, как в любой цивилизованной и развитой стране, немало трудностей. Главная проблема всех стран, затронутых кризисом, — это то, что все мы уже довольно долго живем сверх своих возможностей. Когда-то отношение было следующим: люди работали, откладывали деньги, чтобы потом что-нибудь купить. Сегодня мы покупаем, влезаем в долги и надеемся, что когда-нибудь их отдадим. Бедным считается не тот, кому нечего есть или у кого нет крыши над головой, а тот, кто не может позволить себе купить сотовый телефон, или фирменную одежду, или дорогую машину. Я нахожу это опасным. Потому что эта надуманная проблема ведет к созданию напряженной ситуации, способной перерасти в насилие. Люди сегодня наизусть знают свои права, но полностью забыли об обязанностях.

Познер: Что лично для вас значит быть итальянцем?

Бочелли: Это сложный вопрос, я не могу представить себя кем-то другим, отличным от того, кем я являюсь. То, что более иного позволяет мне чувствовать себя итальянцем, — это мой язык, естественно. Наши культурные традиции, особенно музыкальные. Как вам известно, опера родилась в Италии, а именно в Тоскане. Я горжусь тем, что мои корни — на земле Данте и Леонардо. Так же как и вы, русские, гордитесь тем, что родились на земле Пушкина, Толстого, Достоевского, Чехова, Гоголя и других гениев литературы.

Познер: Спасибо вам большое. Я надеюсь, что мы еще долго будем слушать вас и ваш голос.

Бочелли: Я благодарю вас за ваш визит и за то, что дали мне возможность вспомнить мои любимые книги, моих любимых писателей, русских писателей. У меня есть одна мечта, которую я хочу осуществить, — посетить Ясную Поляну и могилу Толстого.

Познер: Надеюсь, что ваша мечта исполнится.

ТОНИНО ГУЭРРА

Шел снег. Для февраля — нормально... но не в Италии. А снег шел густой; снежинки, крупные, как тропические бабочки, садились на кусты, на листья, на только-только завязавшиеся бутоны цветов и покрывали их пушистым одеялом... Мы ехали и ехали, гораздо дольше, чем планировалось, потому что нас заносило — машины были на «летнем ходу». Все как в замедленном движении: и то, как мы ехали, и то, как кружились и опускались снежные бабочки... В этом была поэзия.

Поэзия продолжалась весь день, она достигла апогея во время интервью с Гуэрра. Каждое слово, каждое движение, каждый жест — все поэзия.

Мало кто может сказать: я разговаривал с гением. Я теперь могу. И вопрос не в уме, не в эрудиции... Гению вообще не требуются объяснения — ему нет объяснений, нет доказательств.

Как же мне повезло!

o—o

Познер: Скажите, пожалуйста, почему вы не любите деревню, в которой родились, — Сантарканджело-ди-Романья? Она вам не нравится? Вы говорите, что у вас сложные отношения с этим местом и вы предпочитаете туда не ездить. Почему?

Гуэрра: Мое детство прошло в Пеннабилли, а не в Сантарканджело. Мои родители, крестьяне, ездили сюда на ярмарку продавать зелень. И когда мама повела меня к врачу, у нее спросили: «Почему вы не оставляете его в Пеннабилли, здесь же такой воздух замечательный!» (А они все боялись тогда за легкие у детей.) И меня возили сюда, в Пеннабилли. Так это стало местом моего детства. И когда после более чем тридцати лет работы в Риме я решил возвратиться в Романью, я подумал, что лучше поеду в Пеннабилли, где буду ближе к природе. Услышу дождь, увижу, как идет снег...

Познер: Вы говорили о своем детстве. Оно прошло в фашистской стране, вы росли при фашизме. Это как-то на вас подействовало?

Гуэрра: Конечно! Я рос в фашистской стране и был маленьким фашистом. Но потом фа-

Тонино Гуэрра

шисты взяли меня, молодого, арестовали, послали в германский лагерь...

Познер: А почему? Что вы сделали?

Гуэрра: Я не был тем человеком, который любил фашизм, и открыто говорил, что мы проиграем войну. Я всегда был интеллигентным и немного опасным. Я могу себя назвать коммунистом-дзен. Мой коммунизм имеет что-то от святого Франциска Ассизского — что-то духовное и религиозное. Моя мать была служкой в церкви. Монашка, терциария это называется. В больницах она помогала служить священникам мессу — на латыни. Я знал, что она неграмотная, и, когда она говорила, ее язык, конечно, не был совершенен. Я ей сказал однажды: «Мама, вас не понимает никто». Она же посмотрела на меня и указала пальцем вверх: «Он меня понимает». Про этот эпизод я рассказывал и на курсах, высших режиссерских курсах в Москве, когда преподавал ребятам.

Познер: А вы сами религиозный человек?

Гуэрра: Трудно. Трудно. Хотел бы. Трудно. Я хотел бы, хотел бы... Было прекрасно работать с Тарковским. Я видел его духовность и его спокойную убежденность. Он верил... Как человек может жить спокойно? Вот мне, например, девяносто один год, со дня на день я могу умереть, и я не знаю, что ждет меня после смерти. А что говорил Феллини? Он всегда говорил мне на этот счет: «Может быть, нас ждет интересное путешествие».

Познер: Вернемся в немецкий лагерь, в Тосдорф. Что он для вас? Лагерь научил вас чему-то?

Гуэрра: Сейчас лагерь для меня — прекраснейшая сказка, в которой я жил. Это был сон, каждый день я мог умереть, каждый день меня окружала исключительная поэзия. И каждый день эта обостренность давала мне возможность видеть удивительные вещи... Хочу воспользоваться случаем, чтобы поблагодарить одну русскую женщину — ее звали Зина. Делаю я это впервые. Нас бросили на передовую, где мы работали на оборудовании, которое производило газ, и надо было двигаться очень быстро, примерно так, как Чарли Чаплин в своих фильмах, в «Новых временах». А за соседним станком стояла женщина, она так умело и быстро справлялась со своей работой, что у нее хватало времени еще и мне помогать, а я-то не успевал, мог взорваться. Я ее больше никогда не видел, но помню, как она мне помогла. Зина, огромное спасибо!.. Теперь это все как сон. Например, меня берут и бросают на рытье траншей, на передовую, и мы бежим под выстрелами, и рядом со мной бежит пожилой человек — для меня тогда пожилой, потому что мне в ту пору было двадцать лет (в лагере я был с двадцати до двадцати двух). Пожилой человек, казалось мне тогда. И он куда-то в сторону бежит. Я его спрашиваю: «Куда ты? Куда ты?» «Оставь, — он отвечает, — я иду продавать чулки». «Как чулки? Какие чулки? На передовой ты идешь продавать чулки? Кому?» Он говорит: «Тут солдаты, они всегда покупают для жен чулки. Даже на передовой». И убегает. После работы нас везут в какую-то полуразрушенную церковь. Бросают на сено, чтоб мы там спали. И вот послушайте... Я только что рассказал очень комичную историю, но в ту пору этот комизм не замечался. А сейчас это становится высокой поэзией. В полночь наконец возвращается этот итальянец... От этого можно заплакать... Он приносит с собой банку меда. И каждому из нас дает по ложке меда. Слезы просто наворачиваются. Какая же это красота!

Познер: Вы использовали слово «поэзия». Вы сами начали писать стихи в лагере?

Гуэрра: Да. Немного. Совсем немного. Но что-то я создал тогда.

Познер: Как же вы их записывали, ведь у вас не было карандашей? Или были?

Гуэрра: Я не записывал их, а рассказывал. На память. Потому что не было ни карандаша, ни ручки. И когда меня просили в бараке, чтобы отвлечься, я их рассказывал. А там был один человек — он работал фельдшером. Он записывал за мной эти стихи, оказывается. И когда я вышел, он подарил мне записи. После освобождения я написал только одно стихотворение о лагере. Оно называется «Бабочка». Всего четыре строки:

Счастлив, действительно доволенЯ был много раз в жизни.Но более всего — когда меня освободили в ГерманииИ я смог смотреть на бабочку без желания съесть ее.

Познер: Потом вы стали учителем в школе. Во-первых, чему вы учили, и во-вторых, нравилось ли вам это?

Гуэрра: Я был сумасшедшим. Сумасшедшим, но многие в Италии изучали потом мой метод. Я преподавал итальянский. Я давал всегда одну и ту же тему: «Вчера вечером за ужином». В первые дни дети писали: «Я вчера вечером ужинал, был салат, был бульон» и так далее. На следующий день я опять им говорил: «Вчера вечером за ужином». — «Простите, профессор. Мы сделали это уже». — «Нет, это было в среду. А теперь — про четверг». Они соглашались и снова приносили мне свои сочинения: «Вчера мы ели сыр» и так далее. Я говорил им: «Простите, я тоже вчера ел. Был бульон, но когда я подносил ложку бульона ко рту, мне вспомнился фильм о слонах...» И я начинал рассказывать о слонах, об Африке. Я рассказывал им о том, что я ел, и о том, что мне приходило в голову. Прежде всего что я думал, что воображал, что вспоминал. И они все спрашивали: «А какое отношение это имеет к ужину?» — «Как какое? Самое непосредственное!» — «Но как же? Это же не ужин...» В конце концов они начали писать божественно! Я даже стал собирать их работы. Они были исключительные. И полгода спустя один мальчик принес мне следующее сочинение, даже не сочинение, а исповедь: «Мне всегда очень хотелось зарезать свинью. Я хотел заколоть ее ножом. И я у всех просил дать мне ее зарезать. Но все мне говорили: «Ты же еще совсем маленький. Зачем тебе убивать свиней?» И когда пришел человек, который должен был заколоть свинью на Рождество, я к нему подбежал и попросил: «Дай мне, дай мне!» — «Ты хочешь это сделать? Хорошо». И вот свинья стоит передо мной, ее только что помыли горячей водой. И он дает мне нож... Я мечтал почувствовать, как нож врежется в горло свиньи, и услышать, как она закричит. Мне это нравилось. Я взял нож и понял, что у меня не поднимается рука. У меня нет сил. Я отдал нож и заплакал. Я плакал, потому что любил эту свинью...» Это замечательная история.

Познер: Не кажется ли вам, что в школе — в Италии, в Америке, во Франции — убивают воображение, а не развивают его?

Гуэрра: Это так. Это общество ужасно в отношении к детям. Во-первых, мы у детей отняли дедушек, бабушек... Их больше нет. Нет людей, которые рассказывали бы им сказки. Сейчас детей хотят приучить к технике. По правде говоря, телевидение — это мощное средство, но оно убивает наше воображение. Телевидение тушит фантазию, не дает ей развиваться. Должен сказать, что я был эксцентричным преподавателем, но сильным...

Познер: Каким образом вы перешли из школы в кино? Как это произошло?

Гуэрра: Прежде я сделался поэтом. Прежде чем перейти в кино. И когда состоялась первая встреча Тарковского с Феллини, Федерико спросил у него: «Тебе хорошо работается с Тонино?» А Тарковский, подумав, ответил: «Тонино — поэт. И с ним не может плохо работаться. Невозможно. Потому что поэт не интересуется действительностью как таковой. Он интересуется прежде всего эмоциями, которые способен вызвать окружающий мир... Эмоциями, которые, например, тебе дает цветок или падающий снег за окном...»

Познер: Я все-таки не понял. Как это произошло? Вы опубликовали свои стихи? Потом ушли из школы?

Гуэрра: Я опубликовал первый сборник стихов, который за мной записали в Германии. Тот фельдшер, о котором я вам говорил... У него был карандаш, он записывал за мной. Я этого не знал. Он отдал мне записи, только когда кончилась война. Однажды, в рождественскую ночь, один молодой итальянец попросил меня: «Тонино, приготовь тальятелле. Не приехал лагерный рацион. Перевернулся грузовик». — «Как же я это сделаю?» — «Словами! Словами! Словами!» — «Хорошо. С помощью слов? Хорошо». Все приготовились слушать. И я постарался вспомнить, как готовила тальятелле моя мама. Я рассыпал муку, добавил яиц... Сколько нас? Около восьмидесяти. Отлично. Много яиц потребуется. Немного соли. Я раскатал тесто, разрезал его. Рядом кипит вода, я опускаю макароны в воду. Вот, тальятелле готовы, кто хочет? Ты? Хочешь пармезан? Держи. И тебе, и тебе... Устал. А один человек говорит: «А можно мне добавку?» Смех... Добавки, да? Только слова? Да, только слова, потому что нечего было есть. Это поэзия? Я думаю, чуть-чуть да. То же самое с бабочкой...

Познер: Как же вы попали в кино? Вы не ответили.

Гуэрра: Мне предложили написать сценарий. Это была первая роль Марчелло Мастрояни. Сценарий к фильму, действие которого происходило в Романье, в этой местности. И нужно было знать не только место, но и диалект. Я работал учителем и получал тридцать девять тысяч лир, а продюсер фильма сказал мне: «Если приедешь в Рим, то будешь получать триста тысяч». Я, как проститутка, поехал. Поехал в Рим и десять лет жил впроголодь.

Познер: В кино вы работали с Феллини, Антониони, Рози, Тавиани...

Гуэрра: Тавиани, Тарковский, Ангелопулус... И многие другие...

Познер: У нас нет времени, чтобы поговорить обо всех, но все-таки расскажите, каким был Феллини? Что это за человек?

Гуэрра: Это был великий человек. Исключительный. Мы сейчас не говорим о фильмах, плохих, хороших... Как человек он был исключительный. В этом году на Рождество... на Рождество в Римини... я рассказал о небольшом эпизоде с Феллини, о котором прежде не рассказывал. Много лет назад ближе к вечеру вдруг он мне позвонил: «Поедем в студию, нам кое-что нужно исправить...» Я не помню, это был то ли «Марго», то ли другой какой-то фильм, над которым мы работали. И мы поехали к нему на студию. Войдя, Феллини сказал: «Тонино, не зажигай свет». Мы сели в темноте, и спустя некоторое время я спросил: «Федерико, зачем мы так сидим?» Он ответил: «Потому что в это время перед Рождеством я всегда вот так сижу и вспоминаю аромат пасса-телле, которые готовила моя мама». Этот великий человек, который любил красивых женщин, шикарные вещи, также любил и свои детские воспоминания... Каждое утро на протяжении двадцати лет тридцать или сорок пять минут он уделял тому, чтобы помочь людям. Вы знаете, что все женщины любили Феллини? Не только в Италии, в Америке тоже. Я не могу сказать, были ли у него другие женщины, но скажу следующее — о том, что меня очень трогало в нем. В молодости у него была невеста. И когда ей исполнилось уже семьдесят—семьдесят пять лет, он продолжал ей звонить, чтобы спросить, как дела, не нужно ли ей что-нибудь — врач или что-то еще. Он продолжал к ней относиться с невероятной заботой и нежностью. Это еще одна замечательная черта Федерико... Покидая вечером студию, мы часто шли бродить по Риму, но так, чтобы нас никто не заметил. Мы творили безумные вещи. Например, проходим мимо большой и совсем пустой парикмахерской, с большими удобными креслами. Заходим и садимся в кресла. «Что желаете?» — нас спрашивают. «Нет, ничего. Мы просто отдыхаем. Очень удобные кресла». «Понимаем, — отвечают, — но мы должны работать». «А мы должны отдыхать», — возражаем мы. И так одно баловство за другим. Единственная проблема Федерико — мазь для волос. А то, что мы вытворяли, это было нечто невероятное...

Познер: Антониони был совсем другим человеком?

Гуэрра: Другим. Другим. Антониони открыто любил женщин. Он любил путешествовать. Феллини — нет. А Антониони обожал смотреть новые места. У него была очень интересная особенность. Вот мы едем в Лондон снимать картину «Крупным планом». Первое, что он там делает, — знакомится со всеми художниками. Со всеми. Потом мы едем в Нью-Йорк. И там он тоже знакомится со всеми художниками. Со всеми фотографами. И со всеми писателями. И долго, внимательно рассматривает город... Не слова его привлекали, а свет этого города, сам город. Большое путешествие Феллини — это путешествие внутрь себя самого. В свое детство. Не то чтобы Микеланджело (Антониони. — *В.П.*) не заглядывал в себя, это скорее было путешествие памяти, ума, путешествие в литературу. Так или иначе, совсем другое путешествие.

Познер: Путешествие внутрь себя, путешествие ума и познания — это все память. Значит, память важна для творения?

Гуэрра: Очень важна. Не существует ни одного писателя, ни одного творца, который не обращался бы к своей памяти. Нет никого, кому память не помогала бы во время работы, потому что именно в детстве мы познаем мир.

Познер: Феллини, Антониони, Висконти, Де Сика — великое итальянское кино. Куда оно делось? Где оно? Ничего нет.

Гуэрра: Неправда. Это трудный момент для итальянского кино. Очень трудный. Но с другой стороны, мы не можем так говорить. После войны был подъем итальянского кино, неореализм. Должно пройти какое-то время. Сейчас у нас есть Ольми, Торнаторе — вот уже два человека. Тавиани, Беллоккьо — тоже великие режиссеры. Они есть еще. Они живы. Но имеется одно отличие. В послевоенное время у всех наций — у русских, итальянцев, англичан, американцев — была общая тема, а именно послевоенный период. Мы говорили об одном и том же — о возрождении после войны. А в последние двадцать лет у каждого государства свои проблемы, нас больше ничего не объединяет. Мы немного потерялись. Потом американцы стали использовать новейшую технику... Но нам необходимо вернуться к поэзии. Со всей современной техникой нам следует научиться смотреть на мир нежнее, с душой.

Познер: Вы думаете, что это возможно? Что мир реально вернется к тому, о чем вы говорите?

Гуэрра: Я надеюсь. В противном случае многое умрет, как умер, например, кинозал в Европе. В России еще многие продолжают ходить в кино. А в Италии больше нет вечерней церемонии похода в кинотеатр. Мы больше не ходим туда, не пристаем там к женщинам. Сейчас есть телевидение. Возможно, будут развиваться телевизионные программы, а также останется популярным театр, концерты. Я сейчас про Европу говорю.

Познер: Вам нравится сегодняшний мир?

Гуэрра: Не очень. Мне нравится жить. Жизнь прекрасна! Мир сегодня не представляет собой ничего хорошего. Но все может улучшиться. Есть периоды хорошие, есть плохие.

Познер: Если бы переводила не ваша жена, я спросил бы вас, любите ли вы женщин?

Гуэрра: Очень. Я очень люблю женщин. Я всегда смотрю на женщин.

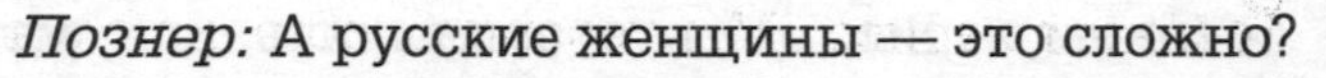

Познер: А русские женщины — это сложно?

Гуэрра: Это нормально.

Познер: Это как?

Гуэрра: При коммунизме многие были напуганы и многие читали. Женщины читали. Они убегали и спасались в мире литературы. Зайдя в метро, я заметил, что многие читают. Русские женщины красивые, и они читают. Сейчас уже меньше. Культура — это единственное, что делает женщин красивыми, гораздо лучше, чем пластические хирурги... Это сразу видно по глазам, они блестят совсем иначе... Я должен идти обедать.

Познер: Дайте еще пять минут. Предположим, я марсианин, пришел к вам и говорю: «Тонино, у меня есть время, чтобы поехать в одно только место в Италии, только одно, потом я должен вернуться на Марс. Скажите, что я должен посмотреть?»

Гуэрра: Что бы я выбрал? Многие порекомендовали бы Венецию, но я люблю маленькую Италию. Сразу за Неаполем идет Амальфитанское побережье, и там располагается городок Равелло. Я посоветовал бы именно это место. Это мечта. Небольшой городок над морем с римскими виллами. Еще могу посоветовать Остуни в Апулии. Город белый, как молоко. Там есть исключительной красоты церковь с невероятной мозаикой на полу. Тарковский, увидев ее, чуть не упал в обморок.

Познер: Вы можете завершить для меня фразу, которую я сейчас скажу? Фраза такая: «Для меня быть итальянцем — значит...»

Гуэрра: Для меня быть итальянцем означает, возможно, быть щедрым, готовым всегда поговорить, поблагодарить ближнего за оказанную услугу, вкусно накормить друга. Но самое лучшее, что может сказать о себе человек, — это: «Я делаю добро другим». Делать добро. Но это трудно. В идеале нужно, чтобы люди любили друг друга.

Познер: Поэтому вам так нравился Папа Иоанн XXIII?

Гуэрра: Когда мы снимали «Амаркорд», Феллини всегда заходил за мной в семь утра. Он приезжал с моря, если я не ошибаюсь. Я привык выходить из дома в семь—семь пятнадцать. И перед дверью моего подъезда всегда образовывалась пробка, потому что рядом находилось здание суда. Я каждый раз переходил улицу через эту пробку, среди машин. В тот день я тоже переходил улицу, и одна машина задела меня. Я закричал. И вдруг понял, что передо мной Папа Иоанн XXIII. Я онемел. А он улыбнулся мне. Он был от меня на расстоянии вытянутой руки. Улыбнулся и благословил, разделив меня движением руки на четыре части, как арбуз. Машина уехала, все автомобили загудели. Я был ошарашен... Это хороший финал. Пойдем.

o—o

ФРАНКО ДЗЕФФИРЕЛЛИ

Пожалуй, я не видел в Италии более красивого, более изящного дома. Входишь — и кажется, что ты попал — нет, не в музей, а в жилище римского патриция времен расцвета империи: мраморные полы, статуи и статуэтки... Понятно, что изумительный портрет кисти Веласкеса должен звучать диссонансом, но нет, он вписывается сюда естественнейшим образом.

Я стоял, осматривался и ждал, когда выйдет ко мне Дзеффирелли. Но он не вышел — его выкатили. Он сидел в коляске и был необыкновенно хорош собою. Безупречно завязанный шелковый фуляр, белоснежная сорочка, немыслимой красоты халат... Конечно, патриций.

o—o

Познер: Я начну со странного вопроса: я попросил своего приятеля посмотреть в

Франко Дзеффирелли

телефонном справочнике Рима фамилию Дзеффирелли, и он ее не нашел.

Дзеффирелли: Я хочу держаться подальше от масс.

Познер: Но фамилии Дзеффирелли нет вообще. Это разве не странно?

Дзеффирелли: Нет. Это очень увлекательная история, история моего рождения. Я незаконнорожденный сын женщины, которая уже состояла в браке, имела детей, и мужчины, у которого были дочери. Это был великолепный, красивый роман. Он, к сожалению, закончился трагически, мама умерла рано. Но я родился от безумия этих двоих достаточно зрелых людей. Маме тогда было сорок, она являлась очень важной дамой — известным флорентийским кутюрье. Мои родственники, тети, сразу окружили меня огромным количеством тепла и любви. Все знали мою историю и помогали мне с детства. В нашей семье чтили традиции музыки и театра. Мой дядя был баритоном и имел свой бизнес. Дед дружил с Верди, который подарил ему этот портрет. И он был другом Пуччини. Его изображения тут нет, но неважно. Все они имели какое-то отношение к великому миру музыки прошлого века. С самого детства я был знаком с оперой и театром, и музыка сделала из меня того, кем я сейчас являюсь. Я учился на шедеврах. Одна из опер, сводившая меня с ума в возрасте четырнадцати лет, — «Хованщина». Потом — «Борис Годунов». Русские приезжали с ними во Флоренцию.

Познер: Давайте вернемся к вашей фамилии — как вы получили ее?

Дзеффирелли: Я не мог взять фамилию мамы, она была замужем, и не мог взять фамилию папы, поэтому мне требовалась абстрактная фамилия. Мама выбрала для меня эту — Дзеффирелли, это из Моцарта, так как она была музыкантом по духу. У Моцарта есть «Фарфале ДзеффиреТТи».

А потом, записывая мою фамилию, ошиблись, и «Т» превратились в «Л». Так я оказался единственным на земле Дзеффирелли.

Познер: Вы один-единственный Дзеффирелли?

Дзеффирелли: Один-единственный.

Познер: У вас было счастливое детство?

Дзеффирелли: Ну, насколько счастливым может быть мальчик без мамы и папы? Но это стимулировало меня к тому, чтобы все время искать внимания, у меня было много любви и внимания от окружающих. Я совсем не чувствовал себя брошенным.

Познер: А был кто-то в вашем детстве, кто оказал на вас сильное влияние? Помимо мамы и папы?

Дзеффирелли: Мама умерла, когда мне было шесть лет, папа был бизнесменом. Но во Флоренции все говорят об искусстве, от этого никуда не деться, у нас там такие невероятные свидетельства тому. Знаете, если я в плохом настроении, я сажусь в машину и еду во Флоренцию. Я приезжаю туда, и первое, на что я смотрю, — это домский собор Брунеллески. Я считаю его купол самой великой битвой, в которой сражался и выиграл человек. Это невероятное достижение. Я ходил туда раз в неделю и проводил там несколько часов. И даже сейчас в плохом настроении я иду туда, и это восстанавливает мои пропорции.

Познер: Вы считаете себя флорентийцем?

Дзеффирелли: А кем еще? Чем еще?

Познер: Ну, например, итальянцем.

Дзеффирелли: Ну да... итальянцем. Это мило, это милая страна. Но мы такие разные, здесь столько разных стран вместе, и каждая со своей культурой. У нас наконец-то есть общий язык, но это свершилось как раз во Флоренции, благодаря Данте Алигьери и другим великим поэтам. Так что я суперитальянец, флорентиец.

Познер: Если кто-то к вам придет и скажет: «Господин Дзеффирелли, я приехал в Италию, но могу посмотреть только одно место. Посоветуйте, пожалуйста, куда мне отправиться?»

Дзеффирелли: Я вам только что сказал. Выделите два часа в вашем расписании и идите посмотрите на купол.

Познер: Купол Брунеллески...

Дзеффирелли: Просто проведите там два часа. Это прекрасно, вас переполнит гордость, вы начнете чувствовать свое превосходство от мысли, что человек смог это создать. Значит, и я могу создать нечто подобное. Вот это направление нам надо развивать. Это же не абстрактная мечта. Кто-то создал это, и этот кто-то был во многом похож на меня: у него были руки, глаза, мозг. Но во Флоренции мозг сделал какой-то особый поворот, принял особое направление. Я хотел бы собрать своих друзей со всего

Молодой Дзеффирелли... Писаный красавец

Между этими фотографиями Дзеффирелли более 60 лет...

мира и провести с ними день на соборе: купол, башня, Микеланджело...

Познер: Говоря о башне, вы имеете в виду колокольню Джотто?

Дзеффирелли: Да, кампанила Джотто. И потом — там Микеланджело, Гиберти, Леонардо...

Познер: Вы понимаете, почему так произошло? Отчего такая концентрация? Благодаря какому волшебству все это сосредоточено во Флоренции, а не где-то еще?

Дзеффирелли: Ну, корни кроются в варварах и в падении Римской империи. Флоренция была на середине пути между Римской империей и варварами. Мы создали свою отдельную культуру в качестве защиты. Набеги варваров были часты, и мы принимали их, кажется, очень гостеприимно. Не воспринимали их как врагов, а старались впитать то, что они могли предложить, и предложить им то, чем обладали сами. В двенадцатом веке у нас была необыкновенная поэзия. После римских поэтов появились флорентийские, с новым языком.

Познер: Позвольте я задам вам следующий вопрос. Я все еще тот самый человек, которому вы подсказали, куда идти. А теперь я спрашиваю: что я должен попробовать из еды? Какое лучшее блюдо?

Дзеффирелли: Еда во Флоренции очень хороша.

Познер: Ну про что вы сказали бы: «Попробуйте это»?

Дзеффирелли: Не утонченное меню. Вы должны обратиться к тому, что раньше ели крестьяне.

Познер: А что это?

Дзеффирелли: Суп с хлебом, бобами и овощами — ля зуппа ди магро. Бифштекс. Мясо в нашей стране — особого качества и приготовлено правильно.

Познер: Флорентийскии стейк? Вы о нем?

Дзеффирелли: О да! Особенного качества, карне эль кьянти, и потом вино Кьянти. Еще зелень, овощи...

Познер: Когда я спросил вас, флорентиец ли вы, вы удивились:«А кто еще?» А когда я спросил, итальянец ли вы, ответили как-то без особого энтузиазма. Быть итальянцем для вас что-то значит?

Дзеффирелли: Ну, в конце концов, это много значит, среди других культур итальянская выделяется. Север, готика, Венеция, Рим... Но мы особенные, хотя с нами, флорентийцами, трудно, флорентийцы иногда очень неприятные.

Познер: Правда?

Дзеффирелли: Да, они гиперкритичны, а если сказать флорентийцу: «Ты слишком критичен», он вам ответит: «Могу себе это позволить!»

Познер: Забавно! Я раньше был знаком с флорентийкой, писательницей Орианой Фаллачи. Вы случайно ее не знали?

Дзеффирелли: Это моя сестра!

Познер: Ваша сестра?!

Дзеффирелли: Почти. Я был единственным интеллектуалом, который пришел на ее похороны.

Познер: Она говорила мне: ты должен быть очень осторожен с флорентийцами.

Дзеффирелли: Не только с флорентийцами. Они ее ненавидели. Флорентийцы все коммунисты. Теперь, с крушением русских иллюзий, это пошло на спад. Они сохранили лицемерную ментальность превосходства. Она была флорентийка, такая же взрывная, как я. Я не хочу сказать, что столь же феноменален, какой была Ориана. Мы часто встречались в Америке, когда я работал в «Метрополитан», она приезжала туда. Однажды она спросила: «Почему бы нам не пожениться?» Я сказал: «Проблема в том, что я не был бы с тобой счастлив».

Познер: Будучи молодым, подростком, вы жили в фашистской стране...

Дзеффирелли: Еще какой!

Познер: Это на вас повлияло? Тот факт, например, что вы, мальчик, являлись членом фашистской лиги молодежи?

Дзеффирелли: Я был слишком молодым тогда. Достигнув шестнадцати-семнадцати лет, я отвернулся от этого... У меня была нянька, воспитательница, англичанка... Флоренция пользовалась популярностью среди англичан...

Познер: Ее звали Мэри О'Нил?

Дзеффирелли: Мэри О'Нил. Я благословлен тем обучением, которое она мне дала. Она привнесла в мою жизнь вещи, о которых я очень хотел знать.

Познер: Например?

Дзеффирелли: Свобода, демократия, частная инициатива. Умение не верить во все, что тебе навязывают. Убежденность, что все надо постигать своим умом... Она была очень традиционной англичанкой. Но я от нее многому научился. Она помогла мне понять, насколько неправы, глупы и смешны были фашисты. В возрасте двенадцати-тринадцати лет в моей голове начали формироваться правильные идеи. Фашистская культура пыталась подтолкнуть нас, молодых, ближе к Германии, мы обязаны были учить немецкий в школах и все такое. Но в конце дня я всегда возвращался к своей Мэри О'Нил. Она также подарила мне мир театра, Шекспира, поэзии. Я с ней учил Шекспира... Вы видели мой фильм «Чай с Муссолини»?

Познер: Да. Это про нее?

Дзеффирелли: Про меня.

Познер: Про вас и про нее?

Дзеффирелли: Про то, как она повлияла на мою жизнь.

Познер: Во время войны, я так понимаю, вы были партизаном?

Дзеффирелли: Да.

Познер: Когда это произошло и почему?

Дзеффирелли: Пришел возраст, когда я должен был пойти в армию. Я не хотел идти в фашистскую армию. Мы ждали прибытия американцев. Мне было восемнадцать, призыв приближался. В сорок третьем мне исполнилось двадцать. Мои сверстники прибегали к различным вариантам. Некоторые (моя семья также давала мне на это денег) бежали в Швейцарию. Другие прятались в деревнях, но их, если ловили, убивали. Тогда возникли партизаны, и я присоединился к ним.

Познер: Партизаны, активное партизанское движение в Италии — их сердцевиной были, по сути дела, коммунисты, так?

Дзеффирелли: Да.

Познер: Но вы же противник коммунизма?

Дзеффирелли: Да.

Познер: Получается некоторое противоречие...

Дзеффирелли: Не все партизаны обязательно были коммунистами. Коммунисты организовали сопротивление. Люди моего возраста приходили туда и присоединялись к подпольной деятельности. Но мне как-то удалось избежать столкновения. Я ушел в горы, к северу от Флоренции. Там было много узников войны:

поляков, русских и французов. Своеобразный клуб людей из трех стран. На самом деле многие из них умерли, много поляков, например, потому что они все время были пьяными и так ненавидели немцев, что открыто шли им навстречу, и их убивали. Русские вели себя более осторожно...

Познер: После войны вы учились?

Дзеффирелли: Я прервался на войну, а до нее уже изучал архитектуру.

Познер: И потом продолжили?

Дзеффирелли: Нет. Я прервал учебу, приехал в Рим. В театр. Я не мог вернуться к архитектуре, мне хватило. Я увидел другую планету — мир искусства, театра, музыки. Я пошел в этом направлении. Мне посчастливилось встретить правильных людей.

Познер: Каких, например?

Дзеффирелли: Например, Висконти. Он приезжал во Флоренцию искать артистов для своей постановки. И я тут же пошел на кастинг к нему, прихватив свой альбом с театральными эскизами. Он не подумал о том, что я прекрасный артист, но заинтересовался моим талантом театрального художника. Потихоньку я перебрался в Рим, начал на него работать. Он тут же предоставил мне удивительные возможности.

Познер: Повлиял ли Висконти на вас как художник?

Дзеффирелли: Он не был художником, он был очень культурным человеком, но не оригинальным творцом.

Познер: Как, даже не как кинорежиссер?

Дзеффирелли: Да, он был необыкновенно культурным. Знал Пруста наизусть. Но я думаю, режиссерам следует рождаться в бедности. Если у них было счастливое, богатое, нормальное детство, это очень сложно. Стать режиссером — это непросто, это борьба. Вы должны знать низших человеческих существ. Не бывает аристократичных режиссеров. Все наши кинематографисты, все великие авторы — все они вышли из низших классов.

Познер: Это касается и Феллини? Он тоже из низшего класса?

Дзеффирелли: Да, средний класс.

Познер: Вы считаете, что бедность и страдания помогают чего-то достичь?

Дзеффирелли: Не столько страдания... Но быть бедным — это значит понимать, что жизнь — борьба, а не рай, в котором можно нажать на кнопку и появится слуга. Мы все вышли из среднего и низшего классов...

Познер: Роль Висконти в некотором роде заключалась в том, чтобы открывать для вас двери, новые возможности?

Дзеффирелли: Огромные, я на него шесть лет работал. Моим первым хорошим спектаклем был... «Три сестры» (произносит по-русски).

Познер: А, «Три сестры». Да, действительно. Это один из ваших первых больших успехов.

Дзеффирелли: Да... А до этого... а, вот... «Трамвай “Желание”».

Познер: Теннесси Уильямса...

Дзеффирелли: Это был мой дебют в... сорок девятом.

Познер: И это случилось благодаря Висконти, он дал вам эту возможность?

Дзеффирелли: Да.

Познер: А потом, конечно, вы оформили «Золушку»...

Дзеффирелли: Что?

Познер: «Золушку».

Дзеффирелли: «Чиндерелла»?* Это было после...

Познер: Да, после, и это то, что сделало вас знаменитым, я думаю.

Дзеффирелли: Мне очень повезло. Не знаю, почему. Думаю, моя мама молилась за меня. Я смог поехать в Англию — вместе с Каллас**.

Познер: Это было гораздо позже...

Дзеффирелли: Не сильно.

---

* Я говорил с Дзеффирелли по-английски. На английском «Золушка» — «Cinderella», Дзеффирелли не сразу понял, о чем речь, а потом произнес название сказки по-итальянски: «Чиндерелла».

** Речь идет о великой оперной певице Марии Каллас.

Познер: Разве?

Дзеффирелли: Это было в пятидесятые. Я делал «Травиату». В Далласе проходил музыкальный фестиваль, и они приглашали на него великих личностей из Европы, в том числе Каллас. Там она пела Медею и Травиату. Со мной.

Познер: Что такого прекрасного в опере? Почему вы так любите ее?

Дзеффирелли: Это абсолютное искусство. В опере собираются все музы: драма, голос, красота. Хореография. Там есть все, это рай муз. И это обнаружили флорентийцы в пятнадцатом веке, когда придумали итальянскую оперу.

Познер: Они придумали оперу?

Дзеффирелли: Был момент в Ренессансе, когда они открывали для себя греческую традицию: театр, трагедии и так далее. Флорентийцы перевели пьесы, но не могли их исполнять. Они были написаны для больших театров на открытом воздухе, а навыков говорить так, чтобы тебя слышали в большом театре, еще не появилось. Во Флоренции имелась очень хорошая школа, и вот в период Ренессанса они задумались: а как же греки исполняли свои трагедии? И узнали, что они их не играли, а пели. Они восстановили оперы — таким образом опера родилась во Флоренции в пятнадцатом веке.

Познер: Вы много работали в опере, но позже занялись кинематографом, снимали кино.

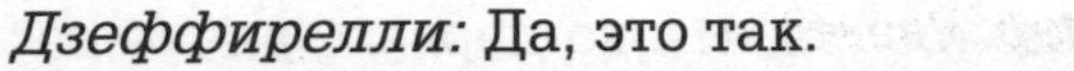

Дзеффирелли: Да, это так.

Познер: Я не спрашиваю, что лучше, потому что это глупый вопрос, но вашему сердцу опера ближе, чем кино?

Дзеффирелли: Это как иметь разных друзей и ко всем ним хорошо относиться. Вы должны быть влюблены в то, что делаете.

Познер: Нужно быть влюбленным?

Дзеффирелли: Да, вам должно нравиться то, что вы делаете.

Познер: Но это обязательно должна быть страсть?

Дзеффирелли: Да, как сексуальная оргия.

Познер: Правда?

Дзеффирелли: В мыслях, я имею в виду.

Познер: Я понимаю.

Дзеффирелли: Когда я работаю над «Доном Жуаном», для меня это своего рода экстаз, так же как Верди, Пуччини. Сейчас я готовлю свою пятую «Турандот».

Познер: Пятую?

Дзеффирелли: Пятую. Я начал в «Ла Скала», потом делал ее в «Метрополитан» в Нью-Йорке, после здесь, затем в Вероне, а теперь мы готовим ее для султана Омана — я участвовал в открытии нового музыкального центра, который он построил.

Познер: Все говорят, что вы один из ведущих... даже не знаю как сказать... постановщиков произведений Шекспира. Чем лично для вас является Шекспир?

Дзеффирелли: Ну, во-первых, для меня это поэзия, мне нравится язык, я люблю английский и английскую поэзию. А Шекспир предлагает невероятное — истории, сюжеты (некоторые из них вечны), портреты общества. Мисс О'Нил во Флоренции вовлекла меня в тайну Шекспира, а его очень интересовали итальянские истории. Потом у него были северные сюжеты — например Гамлет и другие, но многие пришли к нему из Венеции. В итальянской литературе была очень развита культура передачи историй, они передавались по морю, ведь существовала навигация между Венецией и Лондоном, и театр впитывал эти истории, адаптировал их. Это было сочетание английской любви к театру и итальянской любви к повествованию. Истории, которые приходили из Италии, моментально становились популярными. Позже пошли короли, королевы и так далее, но весь ранний Шекспир — итальянский.

Познер: Шекспир в эпоху Ренессанса, позднего Ренессанса, объединял в себе нечто чувственное и нечто духовное, духовное и плотское. Рацио и дух соединились, чтобы создать эти невероятные произведения, этот мощнейший выстрел. Что вы об этом думаете?

Дзеффирелли: Это была особая встреча двух... я не сказал бы — культур, но человеческих предрасположенностей: итальянцы рассказывали истории, англичане создавали

рай поэзии из этих историй. Это было очень интересное взаимозаимствование между двумя культурами. Потом, конечно, театр пошел в другом направлении, в сторону севера.

Познер: Что вы думаете обо всех этих спорах о том, что Шекспир на самом деле не был Шекспиром, что кто-то другой написал эти пьесы?

Дзеффирелли: Ерунда!

Познер: Рад это слышать. Рад. В вашей долгой жизни художника были большие победы, триумфы, но также были и неудачи...

Дзеффирелли: А разве не у всех так? Жизнь прекрасна. Я помню период, когда на протяжении трех лет у меня случался один триумф за другим, это очень монотонно. В конце концов мне это наскучило, и я начал делать спорные вещи. Потому что в театральном мире все должно быть драматично, все время должна разыгрываться какая-то драма.

Познер: Вы рисковали? Для того чтобы достичь чего-то, действительно ли художнику надо рисковать, или можно быть консервативным, находиться в безопасности, и все будет хорошо?

Дзеффирелли: Я не очень понимаю, о чем вы спрашиваете.

Познер: Я спрашиваю, можно ли достичь чего-то, ничем при этом не рискуя?

Дзеффирелли: А... Нет. Если вам слишком комфортно, всегда есть опасность сделать что-то скучное. Я совершал ошибки, чудовищные ошибки. В «Отелло» с Джоном Гилгудом...

Познер: Великий актер!

Дзеффирелли: Но ужасен в «Отелло»! И я не понимал, в чем проблема. Это был провал. За год до этого я делал «Ромео и Джульетту» с молодежью, а потом поехал в Стратфорд ставить «Отелло» с Гилгудом и потерпел фиаско. Я вернулся в Олд Вик и поставил итальянскую комедию «Много шума из ничего». Это, возможно, был самый успешный мой спектакль. Шекспир... Вы видели «Гамлета»?

Познер: Разумеется. Вы, кажется, очень критикуете то, что происходит в современном мире. Вы даже сказали, что раньше люди слушали сердцами и создавали невероятные вещи, а сейчас они производят только компьютеры и мобильные телефоны. Вы действительно настолько критично относитесь к настоящему? Вы пессимистично смотрите на то, куда движется мир?

Дзеффирелли: Лично со мной судьба обошлась прекрасно, я имел все для того, чтобы кем-то стать. Но, достигая позитивных результатов, я всегда думал: почему я, откуда у меня способность выдавать эти необыкновенные результаты? Я не видел себя частью того великого времени и не чувствовал, что заслужил то, что на меня снизошло. Я не могу объяснить того успеха, который пришел к «Гамлету» сначала в Италии, потом в Англии. «Гамлет» — это как Библия, это все равно что выпустить новую версию Библии. В моем мозгу не выстраивается объяснение того, почему я добился такого успеха. Знакомство с людьми знающими, вроде вас, я воспринимаю как некую корзину, куда складываю все подарки, которые получаю от божественного провидения. Я всегда, или почти всегда, находил способ добиться счастливого результата. И другие чувствовали, что я был человеком, дарующим им желаемое. Очень часто людям не нравится то, что им дарят, но не в моем случае. Мои зрители были благодарны.

Познер: Позвольте, я перефразирую вопрос, который уже задавал. Довольны ли вы тем, куда сейчас движется мир? Если нет, то почему? У вас оптимистичный или пессимистичный взгляд на это?

Дзеффирелли: Я не занимаю никакой позиции, потому что я сам не понимаю, как ответить на этот вопрос.

Познер: Не понимаете?

Дзеффирелли: Я не могу понять, как творчество находит себе путь к успеху, как человек создает что-то. Мы эксплуатируем сложнейшие технологические придумки, но это не человеческое творчество, а нечто другое, что я не могу определить. Мне восемьдесят восемь, я свою работу сделал, но я не могу научить, указать, как раньше, что будет дальше. Я не знаю, правда, не знаю этого, знаю только, что мой век закончился. Но именно поэтому я борюсь за школу — чтобы оставить после себя опыт, который сделал мою жизнь такой успешной и полной великих достижений. Это я могу передать. Это не модно, но это станет свидетельством времени: Дзеффирелли сделал то-то, мы так уже не сможем, мы занимаемся другими вещами... Мой век окончен.

Познер: Как вы относитесь к театральным постановкам, например к пьесе Шекспира, в которой режиссер одевает актеров в современную одежду, не сохраняет эпоху, а переносит все в современность и заставляет их выглядеть и играть совсем по-другому? Мне говорят, что это режиссерское видение и интерпретация. Что вы думаете по этому поводу?

Дзеффирелли: Это уже не ново, это делали семьдесят лет назад. Немцы положили начало такому театру — в современных костюмах. Если они ставят историю шлюхи, она должна трахаться на сцене. Это все ужасный немецкий символизм, символистская манера рассказа. Особенно это видно там, где дело касается музыки, у нее есть определенная формула, которую нельзя трясти и нарушать. Верди — это Верди, Вагнер есть Вагнер. Это, возможно, допустимо с Шекспиром, но музыкальный элемент — это чистая геометрия, вы должны соблюдать в музыке все, как в математике. На самом деле существуют ужасные постановки, но почему так трудно работать в опере? Я понимаю, что можно создавать нечто иное, однако не могу и не хочу этого делать. Я ставил очень современные спектакли много лет назад... Мой «Гамлет» — это шестьдесят восьмой год... И это было что-то особенное. Вся декорация подчинялась этой идее, был другой, совершенно другой подход. Я шокировал критиков и заткнул им рты. Они воспринимали меня как старомодного постановщика, но это было ново...

Познер: Вы только что упомянули «критиков». Как вы относитесь к критикам вообще? К театральным, оперным, кинокритикам и так далее?

Дзеффирелли: Я в их черном списке, но мне это не повредило, зритель, мой зритель нашел путь.

Познер: Вы не любите критиков?

Дзеффирелли: Нет... Они все неудавшиеся творцы. Их решениями движет зависть. Они завидуют любому, кто придумывает что-то действительно интересное. Они помогают и поддерживают всех тех, кто пытается делать вещи, которых зритель не понимает. В России в начале века существовал иной подход к постановкам, к новым операм — вспомним хотя бы Римского-Корсакова. Это родилось из нордического отношения к повествованию. У вас были великолепные авторы, писатели, великие писатели. И это способствовало необыкновенному проникновению в театр, в музыку. Я за свободу, за творческую свободу. Социальная свобода должна быть обязательна для всех. Уважай правила, и ты сможешь счастливо выражать свой талант. Проблема в том, что критики очень часто выделяют тех, у кого нет таланта. И эти бесталанные люди делают театр, делают оперу, а это совершенно неправильно. Они устали говорить, что Моцарт — великий композитор, они пытаются найти что-то новое в том, как это будет спето или продирижировано, они всегда в противостоянии. У них также есть потребность исследовать новые пути, и это легко понять, я сам пытался это делать...

Познер: Я хотел бы задать вам последний вопрос. Его я задавал в разных странах, где снимал документальное кино, — в Америке, во Франции. Не могли бы вы окончить фразу: «Быть итальянцем для меня означает...» — что? Что такое для вас — быть итальянцем?

Дзеффирелли: Быть итальянцем? Я не могу быть французом, англичанином или русским. Мы можем иметь нечто общее, но мое целое состоит из суммы качеств, ошибок, историй, которые созданы в Италии, которые происходят из Рима.

Познер: Кстати, почему вы переехали из обожаемой Флоренции в Рим? Почему не остались во Флоренции?

Дзеффирелли: Не совсем так. Вчера я открыл свою прекрасную школу, но был момент, когда мне хотелось создать ее во Флоренции, да и Флоренция очень ее хотела. Но я им не доверил ее. Рим более открыт, Флоренция более зажата. И политически небо там то красное, то на следующий день уже желтое. Так что нет. У меня есть надгробная часовня на кладбище во Флоренции, вот туда я однажды отправлюсь, а работать там... Как это ни странно, во времена Муссолини там можно было создавать хорошие работы. На самом деле это как в России: не все коммунисты были слепыми или преступниками, так же и в фашизме для нас было много хорошего.

Познер: Вы все еще являетесь футбольным фанатом?

Дзеффирелли: Да.

Познер: За какую команду болеете?

Дзеффирелли: Я болею гораздо меньше, чем раньше, я не могу путешествовать, не могу позволять себе выходить из себя, ругаться! Я всегда болел за «Фиорентину», но сейчас потерял с ними связь. Мой сын все знает про «Фиорентину».

Познер: Почему вам так нравится футбол?

Дзеффирелли: Во-первых, потому что он был придуман во Флоренции в Средние века. На самом деле я снимал документальное кино о футбольном матче в костюмах, где они играют так, как играли в пятнадцатом веке. Вы знаете, что такое «дерби»?

Познер: Да. Применительно к футболу — это когда играют друг с другом две команды из одного города.

Дзеффирелли: Есть город в Англии, который называется Дерби, это средневековый город, окруженный стеной с двумя воротами — северными и южными. И они там играли в футбол — я говорю про Средние века. И весь смысл был в том, чтобы забить мяч в ворота врага.

Познер: Англичане говорят, что придумали футбол они. А вы говорите, что флорентийцы.

Дзеффирелли: Я знаю это, у нас сохранились документы, не говоря о художественных свидетельствах писателей, которые много об этом упоминали. Про футбол, про героев Санта Крузе де Пьяцца... Но я сделал об этом очень интересный фильм.

Познер: Есть у вас любимый футболист?

Дзеффирелли: Да, Роберто Фалькао.

Познер: Вы не мечтали стать футболистом?

Дзеффирелли: Я играл в футбол, когда был молодым. Во Флоренции, как юниор. Но я был, скорее, велосипедистом.

Познер: Велосипедистом?

Дзеффирелли: Велосипед давал мне возможность побывать в разных местах. Мы ездили с друзьями. В сорок первом году я совершил большой тур со своим другом до юга Италии, до Сицилии и вверх. Все на велосипеде. Мы

проехали тысячу двести миль за сорок дней. Посетили все эти города. Мы не могли себе позволить машину или поезд, к тому же так было гораздо веселее — завоевать город там, наверху, прибыть туда, выдохшись, но запомнив эмоции. Но ты завоевываешь! Спорт помог мне преодолеть недостаток в знаниях... Вы очень интересный человек.

Познер: Простите?

Дзеффирелли: Я думал о том, какой вы, пока мы разговаривали, пытался угадать.

Познер: И что вы угадали?

Дзеффирелли: Вы человек очень европейский.

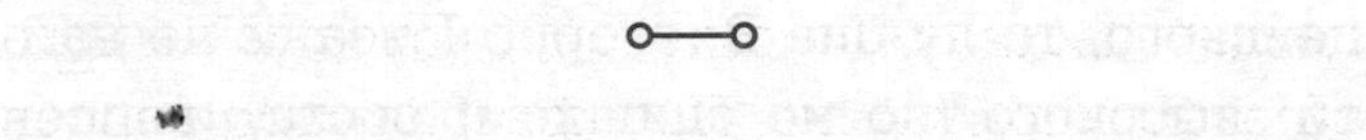

ВИТТОРИО ПИЗАНИ

Если бы потребовалось подобрать исполнителя роли образцового голливудского полицейского, то лучше Витторио Пизани не найти: высокого (но не слишком) роста, изящен и гибок (как стальная пружина), хорош собой (без слащавости), мужественен (как Бонд), умен, вежлив, быстр, модно одет (ослепительно белая сорочка и строгий черный костюм), в сорок четыре года — уже почти семь лет начальник «Летучего отряда» полиции Неаполя (это те, которые занимаются борьбой с организованной преступностью), а до этого — начальник «убойного отдела», гроза Каморры, но вместе с тем уважаемый ею человек, руководитель поимки главарей преступного мира Неаполя...

Во время интервью он удивил меня не только вдумчивостью, но и совершенно не «полицейским» отношением к Каморре, к источникам преступности, к роли власти.

Дней, кажется, через пять после нашего отъезда из Неаполя аршинные заголовки в газетах сообщили о том, что Витторио Пизани отстранен от должности по подозрению в том, что он предупредил одного из главарей Каморры о предстоящем полицейском налете, в результате чего преступник успел скрыться и перевести деньги в Швейцарию. Как было написано, этот человек был чуть ли не другом детства Пизани, и тому пришлось выбирать между профессиональным долгом и дружбой. Он решил в пользу последнего. Если это все так, то Пизани поступил как настоящий итальянец, для которого понятие «семья» (в том числе в широком смысле, подразумевающем и друзей) неизмеримо выше и важнее понятия «государство».

o—o

Познер: Во-первых, спасибо, что нашли время, чтобы нас принять.

Пизани: Это удовольствие.

Познер: Вы сами родились в Неаполе? Вы неаполитанец?

Пизани: Нет, я живу здесь больше двадцати лет, женился на неаполитанке и переехал сюда, а родом я из Калабрии.

Познер: Когда вы стали полицейским? Как давно?

Витторио Пизани

Пизани: В 1990 году.

Познер: А до этого вы что делали?

Пизани: Учился в Полицейской академии. Вообще я планировал быть государственным служащим, дипломатом. Но в 1985 году выиграл конкурс в Полицейскую академию, и как только закончил ее в 1990 году, меня направили в Неаполь.

Познер: А что вас привлекало в этой работе?

Пизани: Я сын полицейского. Потом, скажем так, страсть к этой работе родилась спустя несколько месяцев. Как только я получил возможность трудиться в следственном управлении.

Познер: Вы сразу начали заниматься борьбой с организованной преступностью?

Пизани: Да, сразу, спустя три-четыре месяца. Я был переведен сюда, в Неаполь, на испытательный срок и остался здесь.

Познер: Сколько лет вам сейчас?

Пизани: Сорок четыре.

Познер: И давно вы в этой должности?

Пизани: Почти семь лет.

Познер: Ну, это значит, что вы очень успешно работали, если стали командиром еще до тридцати восьми. И это означает, вероятно, что вы в опасности? Раз добились успеха в борьбе с Каморрой, не так ли?

Пизани: Да, мою карьеру можно назвать успешной. А что касается опасности — мне неловко говорить об этом. Ведь когда кто-то выбирает подобную работу, он об опасности не думает. Мы почти не осознаем этого. По-моему, любой профессионал в любой области не задумывается о ее рисках.

Познер: Я вижу по кольцу, что вы женаты. А как ваша жена относится к тому, что может в любой момент потерять мужа? И как же дети — если дети есть?

Пизани: Да, у нас двое детей, но они абсолютно не беспокоятся по этому поводу. Моя жена тоже дочь полицейского.

Познер: Концентрация какая! Вам, конечно, знакомы имена Джованни Фальконе и Паоло Борселлино, которых взорвали в девяносто втором году? Это как раз были два очень успешных, ну, скажем, сыщика, или оперативных работника, боровшихся против мафии. И тем не менее вас не пугает то, что это может случиться и с вами?

Пизани: Ну, прежде всего надо различать мафию и Каморру. И кроме того, следует помнить о времени, в котором мы живем, — период террора мафии уже прошел. Разумеется, в те годы, когда погибли Фальконе и Борселлино, любой, кто работал на Сицилии, безумно рисковал. Помимо них были также убиты комиссары полиции, карабинеры. Но эти времена, можем сказать, закончились. Стратегия атаки криминальной организации на государство — это стратегия, от которой они уже сами отказались. Потому что результаты проигрышные, ведь в итоге все ответственные были пойманы.

Познер: Какая принципиальная разница между Каморрой, с одной стороны, мафией, с другой стороны, и ндрангетой, с третьей стороны? Чем они отличаются?

Пизани: Ну, мафия и ндрангета — это две организации, которые стремятся к контролю над обществом. Почти в терминах антигосударства. В том смысле, что они стараются проникнуть во все госаппараты — политические, административные, в предпринимательство, чтобы заполучить контроль над обществом. Исходя из этого становится понятно, почему совершаются покушения на судей, на полицейских, на власть. Потому что они на самом деле — антигосударство. У Каморры же другие задачи. Она не борется с государством, не пытается контролировать общество, ее деятельность — это совершение преступлений с целью обогащения. Оттого у ее членов имеется даже некое уважение к судебному аппарату и к силам полиции.

Познер: Что происходит сейчас в вашем прекрасном городе, который наводнен мусором? Я был здесь проездом, наверное, пять или шесть лет тому назад — видел то же самое. Вчера мы возвращались с Капри, ехали по улицам и заметили крыс... Все-таки не удается никак справиться с этой проблемой, которая, по-моему, связана с Каморрой?

Пизани: Нет, вы ошибаетесь. Каморра часто становится оправданием всех бед. Но здесь дело лишь в неспособности государственной администрации решить этот вопрос. Каморра не является его причиной. Даже если бы она пыталась обложить данью предпринимателей, которые занимаются мусорными отходами, даже тогда следовало бы обвинять не Каморру. За годы расследований мы не обнаружили, чтобы ее как-то интересовали мусорные отходы. Это немного похоже на ситуацию, при которой член Каморры взимает дань со строителей, а потом, если дом обваливается из-за того, что построен плохо, обвиняют преступника, потребовавшего причитающееся. Но ведь это вина строителя. Если цикл уборки мусора не осуществляется, то это потому, что кто-то должен управлять этим циклом. И именно государственная администрация не способна делать это.

Познер: То есть все, что написано в Интернете — будто Каморра заинтересована в том, чтобы мусор не убирали, что она зарабатывает большие деньги на переработке мусора и не желает, чтобы были построены заводы по его переработке, так как это лишит ее дохода, — все это неправда? Это придумано?

Пизани: Абсолютная неправда.

Познер: А на чем они зарабатывают тогда? Все-таки Каморра — это определенные кланы, которые работают вместе. Благодаря чему они существуют?

Пизани: На сегодняшний день самый важный бизнес — это наркотрафик. Огромный рынок запрещенных препаратов работает в городе, здесь много площадей сбыта. Отсюда снабжаются распространители из всех близлежащих зон, и даже из соседних регионов. Наркотрафик — это главный источник. Представьте себе, что пункт продажи нелегальных препаратов может приносить в день по сто тысяч евро. Если каждый клан имеет в своем районе две-три точки продажи, то в конце месяца он получает с них миллионы и миллионы евро. Кроме того, Каморра контролирует всю нелегальную деятельность на территории. И заставляет преступников платить клану определенную квоту. Вор, совершивший кражу, должен сделать клану подарок. Бандит, скупщик краденых машин — то же самое. Таким образом каждый преступник района обязан выплачивать клану квоту со своей прибыли. Неаполь — город высокой криминальной активности. У тридцати процентов населения есть судебные дела. И Каморра со всего этого населения, которое совершает преступления, взимает часть их дохода.

Познер: Я знаю, что вам как полицейскому будет трудно ответить на этот вопрос, но я все-таки его задам. Не кажется ли вам, что если бы во всем мире (не в одной стране, а во всем мире) легализовали наркотики, исчезла бы, в частности, Каморра? То есть финансовая составляющая наркотиков ушла бы, цена приблизилась бы, условно говоря, к магазинной, и тогда это был бы мощнейший удар по организованной преступности?

Пизани: Разумеется, криминальная политика против наркотиков должна быть пересмотрена. На протяжении уже многих лет мы видим, что законодательный выбор — наказывать наркотрафик — это выбор, не приведший к решению проблемы. Преступления, которые имеют спрос и предложение, нельзя победить, борясь только с предложением. Надо бороться также и со спросом. Если государство считает, что потребление наркотиков — это вредный фактор для здоровья граждан, по моему мнению, необходимо вмешиваться и в вопросы потребления. Пока остается спрос на запрещенные препараты, всегда какая-нибудь организация будет пытаться продавать наркотики. Так что я скорее не за легализацию продажи, поскольку она рано или поздно натолкнет нас на проблему потребления — ведь потребление может возрасти и, значит, обстановка в обществе станет более неспокойной. На мой взгляд, следует решать проблему потребления. То есть думать о том, до какой степени наркоман является больным человеком. Если это второй, третий раз, то можно и вмешаться — для начала спокойно, без применения радикальных мер.

Познер: Можете ли вы, положа руку на сердце, сказать, что за годы вашего пребывания на этом посту есть определенные успехи в борьбе с Каморрой?

Пизани: Я могу сказать, что мы во многом преуспели. Конечно, нам не удалось окончательно справиться с ней. Но мы по крайней мере сдерживаем ее — в настоящий момент почти все главари арестованы, многие осуждены за убийства, большинство криминальных организаций сейчас переживают трудные времена, и это подтверждается тем фактом, что в последний год сократилось количество убийств.

Познер: Назовите мне цифру: скажем, десять лет назад сколько было убийств за год, связанных с Каморрой, и сколько в этом году? Если это не государственная тайна.

Пизани: Например, в период с 1998/99 по 2000/01 убийств, связанных с Каморрой, в городе было около ста пятидесяти — ста восьмидесяти. В прошлом году — сорок.

Познер: Откуда идет подпитка Каморры? Из каких слоев населения возобновляется ее состав? И повинны ли в этом в какой-то степени социальное устройство и госу-дарство?

Пизани: Да. Это проблема, потому что низкий социальный и культурный уровень — один из толчков в сторону преступности, одна из причин, по которой молодой человек начинает совершать преступления. Возможно, сначала он решается на то, чтобы воровать, грабить, а потом его вербует Каморра. Затем он может сделать карьеру в преступном мире — вступив в ряды Каморры, станет киллером, наркоторговцем.

Познер: У вас в районе Неаполя и вообще юга Италии, насколько мне известно, довольно высокий уровень безработицы среди молодых, это так?

Пизани: Да. У нас высокий уровень безработицы. Это, конечно, тоже сказывается. Но сказывается также и другой аспект. Будучи преступником, можно получить гораздо больше денег, чем если просто пойти работать. Есть острая нехватка рабочих мест, но также нельзя упускать из виду очарование денег, добытых преступным путем. Мы должны понимать, что простыми работами граждане Италии не хотят сегодня заниматься. Посудомойки, рабочие, официанты, уборщики — это все иностранцы. В теории это тоже рабочие места, которые могли бы занять итальянские граждане. Но если распространитель наркотиков имеет десять тысяч евро в месяц, это несравнимо с той тысячей евро, которую получает рабочий.

Познер: А что вы сказали бы человеку, ну, скажем, члену Каморры, который заявил бы вам следующее: «Вот я — член Каморры, и мне она помогает, дает деньги, если мне нужно, купит квартиру, машину, я не должен беспокоиться о пенсии, потому что и в этом она поможет мне. Если я сяду в тюрьму, она поддержит мою жену, детей. А государство вообще не помогает, забывает обо мне. Поэтому я иду в Каморру». Что вы ответите ему?

Пизани: Подобный разговор состоялся у меня много лет назад с одним из главарей Каморры... я в то время работал в отделе убийств, это было в 1998 году... Мы с полчаса говорили с ним в моем кабинете.

Познер: Он был арестован? Или просто так пришел?

Пизани: Сейчас он арестован и сидит в тюрьме, ему предстоит отсидеть двадцать лет. В то время мы его искали. Это был главарь Каморры, который всегда скрывался.

Познер: А как он оказался в кабинете-то тогда?

Пизани: Мы его нашли. Нашли в квартире, обыскали и отвели к нам в участок. Взяли у него отпечатки пальцев, а потом начали разговаривать. И когда заговорили о проблеме Каморры, я помню, он сказал: «Здесь люди умирают от голода. Я в своем районе даю им наркотики на продажу. И все они живут хорошо. А что может предложить им государство?» Он засунул руку в карман и вынул оттуда квитанцию — взнос, который в тот день перевел через почту, миллион лир, на помощь детям в Африке. И продолжил: «Я знаю, что я преступник, но я пытаюсь делать также и добро. И сегодня, мне кажется, я выполнил свой долг, потому что послал в Африку миллион лир бедным детям. — А затем добавил: — Через тридцать лет, в этой же самой комнате, будут сидеть другой полицейский и другой член Каморры, и они станут говорить о тех же проблемах». Прошло тринадцать лет. И мы все еще говорим о тех же проблемах.

Познер: А что вы ему сказали? В ответ на его слова?

Пизани: Я слушал его очень внимательно. Я был очень молод, работал полицейским всего восемь лет, а ему — почти пятьдесят, он уже главарь клана. Я ему сказал: «Мы пытаемся просто делать нашу работу. И надеемся, что однажды сумеем решить проблемы нашего города».

Познер: Но сейчас-то вы намного старше. Вы сказали бы то же самое?

Пизани: Ну, может быть, и еще что-нибудь. Но когда происходят подобные беседы с главарями Каморры, нужно больше уметь слушать, нежели говорить. Мои мысли в данном случае не имеют значения. Для них наши мысли, наш способ существовать не представляют интереса. По моему мнению, полицейскому важно слушать. Чтобы понять, как думает противник, и попытаться победить его.

Познер: Вы испытываете некоторое уважение к такому человеку, которого только что описали?

Пизани: Я думаю, что уважения заслуживает каждый, даже преступник. Нельзя лишать достоинства человека только потому, что он совершает преступления. Это, скажем, заложено в ценностях демократии, иначе мы сами стали бы преступниками. Мы должны быть суровыми, но при этом уважать человеческое достоинство. Этому нас учит правовое государство.

Познер: Прекрасно. Вы можете мне сказать, нравится ли вам Неаполь, и почему?

Пизани: Неаполь — красивейший город. Я влюблен в него. Это город, богатый чувствами, очень живой. Город, в котором человеческие ценности, человеческие отношения имеют первостепенную значимость. Это очень жаркий, чувственный город.

Познер: Большое спасибо!

Пизани: Удачи в работе!

САЛЬВАТОРЕ СТРИАНО

Я не знаю, сколько взял интервью за свою жизнь. Сотни? Наверняка. Больше тысячи? Скорее всего. Запомнились далеко не все. Лучше других запоминаются неудачные. Однако бывают интервью не то чтобы удачные или блестящие, но обнажающие суть человека, жизни. Они случаются редко. Невозможно объяснить, почему. Вот они-то не просто запоминаются, они продолжают в тебе жить, напоминают о себе, заставляют тебя много лет спустя вдруг, ни к селу ни к городу, задаться вопросом: а как он (она) поживает? Как у него (нее) дела? Перечитываешь или пересматриваешь запись беседы и говоришь себе: «Надо же! Какой блеск! Как же это получилось у меня?!»

Таким для меня стало интервью с бывшим членом Каморры Сальваторе Стриано. Я сейчас пишу эти строчки — и вижу его: заост-

Сальваторе Стриано

ренные черты, колючие быстрые глаза, резко очерченный рот, лицо жесткое, но вдруг озаряемое нежностью, когда он разговаривает с ребенком. Словом, это одно из моих любимейших интервью.

o—o

Познер: Давайте, как всегда, начнем сначала. Как у вас все начиналось?

Стриано: Зависит от того, о каком «всем» идет речь. В моей жизни много разных «всё».

Познер: Наверное, о том... что можно было бы назвать опасной жизнью.

Стриано: Она началась с того, что я расхотел ходить в школу. Мне было десять лет. Я с большей охотой торчал на улице, играл с другими и... шатался. Тогда было полно американцев, я продавал им пиво, водил их к проституткам. И зарабатывал деньги.

Познер (с недоумением): И вам было десять лет?

Стриано: Десять.

Познер (с недоумением): И вы знали, где найти проституток?

Стриано: Да, под каждым домом в моих переулках стояли проститутки.

Познер: И американцы вам за это платили? Это военные американцы были?

Стриано: Все они были военными.

Познер: И они вам платили деньги за это?

Стриано: Конечно. Мы доставали им алкоголь, наркотики и проституток. А они нам платили.

Познер: Мы — это кто?

Стриано: Я и еще четверо-пятеро таких же ребят.

Познер: То есть это была маленькая банда?

Стриано: Маленькая банда, но мы не делали ничего плохого.

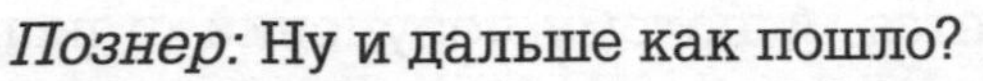

Познер: Ну и дальше как пошло?

Стриано: Дальше... мы потихоньку выросли. А потом американцы уехали, потому что на площади Муничипио, на спуске Сан Марко заложили бомбу в их здании. Все взлетело на воздух, и корабли больше не стали останавливаться в порту Неаполя — это было опасно.

Познер: И как вы тогда стали деньги добывать?

Стриано: Мы воровали косметику: губную помаду, лаки. И продавали проституткам, потому что они много ими пользовались.

Познер: В это время вам было сколько лет?

Стриано: Одиннадцать-двенадцать.

Познер: Двенадцать лет... А когда вы впервые столкнулись с Каморрой?

Стриано: В четырнадцать. Я работал с ними... но вне организации. Я приносил им лотерейные билеты. У нас тут есть номера, государственные. Но Каморра этим занималась незаконно. У них были блокноты, куда записывались номера, а я ходил забирать эти блокноты, потом относить их в одно место. Поскольку я был маленький, никто меня не останавливал с моей сумкой.

Познер: То есть вы тогда еще не были членом Каморры, просто помогали им, выполняли какие-то их поручения. А когда вас заметили? Когда на вас обратили внимание?

Стриано: Ну они видели, как я работаю. И говорили, что я смышленый, что у меня хорошо получается. А потому поручений становилось все больше. Они давали мне свое оружие, и я приносил его домой. Давали наркотики — например, чтобы передать кому-то. Я был быстрым, умел водить машину, умел... умел это делать.

Познер: А как человек понимает, что он стал членом Каморры, что он действительно уже является каморристом? Как это с вами произошло?

Стриано: Когда они приходят за тобой к тебе домой. Даже если тебе ничего не надо делать. Ищут тебя, потому что хотят, чтобы ты был с ними... Ты им не нужен, но лучше, чтобы ты был рядом. Они чувствуют себя более уверенно, потому что думают, что ты можешь быть очень полезен.

Познер: Можно сказать «нет», и тогда тебя больше не пригласят? А если ты говоришь «да», это значит, что ты согласился стать членом Каморры? Это так надо понимать?

Стриано: Ну, нет строгого правила. Ты не подписываешь контракт. Видишься с ними день, два, три... Важен факт, что ты идешь рядом с этими людьми и другие тебя видят, автоматически причисляют тебя к ним. Это другие — полиция и враги — делают из тебя каморриста, а не друзья. Для друзей ты не каморрист, ты друг, часть группы. И все.

Познер: Значит, в этой группе все друг другу помогают, и есть какое-то... ну, товарищест-

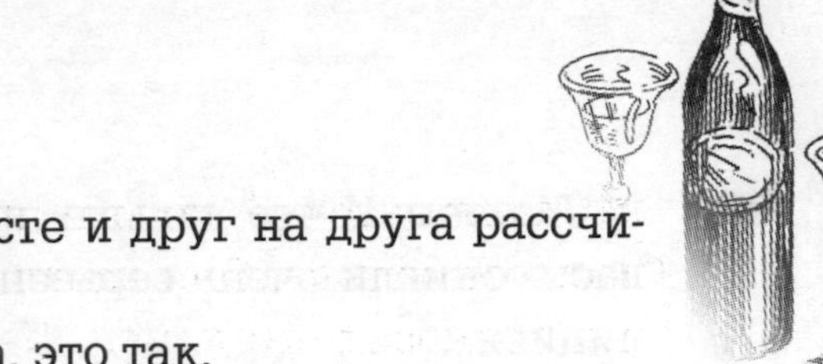

во, где вы все вместе и друг на друга рассчитываете?

Стриано: Да. Да, это так.

Познер: А когда в первый раз вы столкнулись с полицией — вы лично?

Стриано: В четырнадцать лет. Нас остановили на ску... на «Веспе». Меня и одного старшего друга, ему было лет сорок. При нем нашли три грамма кокаина. Поскольку у него имелись тяжелые судимости, для него это обернулось бы несчастьем, ему грозила тюрьма. И я сказал, что это мой кокаин. Я не должен был попасть в тюрьму. Но меня все равно забрали.

Познер: И сколько же вы провели в тюрьме?

Стриано: Мало, десять дней.

Познер: То есть вы взяли на себя его преступление?

Стриано: Да.

Познер: Ну, наверное, это оценили?

Стриано: Конечно. Так обычно делается в преступных группировках, в Каморре. Преступление должен брать на себя тот, у кого меньше провинностей перед правосудием, потому что в конце концов он заплатит меньше всех. Дело не в том, кто совершает преступление, ибо когда его совершает один человек — это все равно что его совершили все. А если надо расплачиваться, то это падает на того, кто рискует меньше всего.

Познер: И что дальше происходило? Ведь у вас возникли очень серьезные проблемы с полицией...

Стриано: Потом я вышел. Начал постоянно встречаться с группой друзей. Попадал в тюрьму и выходил из нее. Меня всегда останавливали, когда я носил при себе оружие, пистолет.

Познер: А что вы делали, собственно? Вот целыми днями чем вы занимались?

Стриано: Подъем в три-четыре часа дня, завтрак в четыре, кокаин... И бродили по улицам. Охотились на богатых туристов или на врагов. Каждый день.

Познер: Хорошо, вот вы нашли богатого туриста — что происходит? Например, я иду, я богатый турист. И что?

Стриано: Так ничего, потому что у тебя нет сумки... А, заберу часы.

Познер: А как?

Стриано: Вот так. Хватаешь здесь, держишь здесь и поворачиваешь. Вот здесь разорвется.

Познер: Это надо делать очень быстро?

Стриано: Быстро, да. Иногда получаешь по лицу, но это часть игры, куда же без этого.

Познер: А оружие... Это было ваше оружие, или вам старшие давали его хранить, потому что опасались быть пойманными с оружием?

Стриано: Нет-нет. В семнадцать лет я уже был взрослым.

Познер: А что вы почувствовали, когда впервые взяли в руки оружие?

Стриано: Бывало по-разному.

Познер: Нет, я имею в виду самый первый раз.

Стриано: Я чувствовал, что могу лучше защитить свою семью.

Познер: От кого?

Стриано: От тех, кто отворачивается от нее, кто ей угрожает. Государство от нее отворачивалось, а Каморра ей угрожала.

Познер: Вот давайте чуть поподробней об этом. Что значит «государство от нее отворачивалось»?

Стриано: У моей матери было четверо детей и никакой помощи. Из детей трое собственных и одна приемная дочь. Она появилась у нас дома, когда ей было всего десять дней, потому что мать девочки убили, и моя мама забрала ее к себе. Работал в семье только отец, и он не мог прокормить нас. А еще была Каморра — люди из квартала, которые угрожали, всегда издевались. Ты не мог захватить себе хоть немного пространства — пространство всегда принадлежало им. Так что нельзя было даже заниматься ничем тайком, чтобы сводить концы с концами. И я видел, какими мои родители были грустными, какими они были бедными. И это подтолкнуло меня к тому, чтобы выйти на улицу и зарабатывать на жизнь. Чтобы семье помогать.

К сожалению, фотография не передает всю нищету и безысходность Испанского квартала Неаполя — рассадника преступности

Познер: Значит, Каморра — это не одна организация, а много разных кланов, что ли, и они друг с другом могут враждовать и даже убивать друг друга, так получается?

Стриано: Это в основном группы, которые убивают друг друга. Собака ест собаку.

Познер: Да-а-а... И вы постепенно поднимались в своем клане, вас стали все больше и больше выделять?

Стриано: Да.

Познер: И в чем это выражалось?

Стриано: Это просто так было.

Познер: Нет, вы меня не поняли. Как вы понимали, что вас поднимают, что вы становитесь важной персоной в организации?

Стриано: По той свободе, которая у меня появлялась, по возможности делать разные вещи. Я мог, если хотел, продавать наркотики, не спрашивая ни у кого разрешения... Мог воровать в любом районе Неаполя, не спрашивая ни у кого разрешения. У меня была квота по лотереям, квота по контрабанде сигарет. Каждую неделю, даже если я не выходил на улицу, мне присылали деньги домой. В такой ситуации уже понимаешь, что ты неотъемлемая часть группировки.

Познер: На ваш взгляд, у вас было много денег?

Стриано: Нет, потому что... слишком много кокаина и слишком красивая жизнь. Хотя это в действительности не красивая, а ужас-

ная жизнь. Но не знаю, почему она называется красивой. Женщины, секс, кокаин, преступность — все это «красивая жизнь». Я тратил на нее много денег. А потом, я был единственный в семье, кто принадлежал к... определенным кругам. Поэтому деньги исчезали.

Познер: А вы тогда были счастливы? Вы вспоминаете то свое состояние?

Стриано: Нет. Нет-нет, это сумасшествие. Я не был счастливым. Ты волнуешься за всех. Волнуешься за свою мать, сестру, брата, за друзей. Обязательно найдется кто-то, у кого дела идут хуже, чем у тебя. И еще всегда плохо ссориться. А эта среда состоит из ссор, угроз. Мы много занимались вымогательством — у магазинов, у людей. Однако наша группа нападала только на богатых. Мы были бедными, и у нас духу не хватало притеснять бедных. Поэтому мы трогали лишь богатых. Но и это нехорошо. Каждый раз, когда я вспоминаю... например, что я кого-то напугал или заставил плакать... Это все нехорошее дело.

Познер: Вам приходилось видеть смерть?

Стриано: Следующий вопрос.

Познер: Вам приходилось видеть смерть, убийства?

Стриано: Следующий вопрос.

Познер: А, понял, извините, пожалуйста.

Стриано: Нет, да нет, просто... в Италии нет правосудия. Я бы с удовольствием ответил на этот вопрос, но сейчас Италия — это страна четвертого мира, она не созрела для того, чтобы слышать подобные ответы от итальянского гражданина.

Познер: А когда вы попали в тюрьму всерьез?

Стриано: В семнадцать лет.

Познер: За что?

Стриано: За оружие. Две штуки. Не мое, одного моего друга.

Познер: И сколько же вы отсидели?

Стриано: Семь месяцев.

Познер: Семь месяцев... Что происходило с вашей семьей, пока вы были в тюрьме? С мамой, с папой... не знаю, были ли вы женаты или нет... вот что происходило с ними?

Стриано: Обо всем заботилась моя мать, когда меня не было. Отец всегда работал, он делал все что мог: трудился в порту разгрузчиком и выкладывался на полную катушку. Но нам помогала мать. Она выходила на улицу и делала что угодно, чтобы прокормить нас.

Познер: Разве ваши товарищи по Каморре не оказывали поддержку?

Стриано: Нет, я никогда не принимал помощи от Каморры, когда был вне игры. Так я оставлял себе возможность выбирать после освобождения — перестать или продолжать. Потому что если ты принимаешь помощь, в дальнейшем все становится сложнее. Ты бу-

дешь вынужден делать то же самое для других. А кто-то из друзей всегда сидит в тюрьме, и в конце концов ты станешь жить ради них, не сможешь больше жить для себя.

Познер: Я знаю, что вы в какой-то момент убежали из Италии в Испанию. Расскажите, почему и сколько вам лет было, когда это произошло?

Стриано: Мне было двадцать два года. Меня разыскивала полиция за ряд преступлений, которые мы совершили с друзьями. Один мой друг раскаялся и начал рассказывать обо всех наших делах.

Познер: И вы убежали. Какое-то время жили в Испании?

Стриано: Три года я там провел, скрывался. А потом меня арестовали, и я просидел полтора года в испанской тюрьме.

Познер: Арестовали в Испании?

Стриано: Да.

Познер: Это был Интерпол?

Стриано: Интерпол.

Познер: А потом вас выдали обратно в Италию?

Стриано: Через полтора года слушаний. Я не хотел ехать в Италию, надеялся расплатиться в Испании. Но по закону это невозможно.

Познер: А что, сидеть в Испании лучше, чем в Италии?

Стриано: В сто тысяч раз лучше.

Познер: Почему? Чем лучше?

Стриано: Потому что в Испании разрешают звонить домой каждый день. Семье, друзьям, кому хочешь. Разрешают заниматься любовью с той, которую ты любишь. Они гораздо человечнее.

Познер: Значит, вас вернули в Италию и приговорили?

Стриано: Меня приговорили, пока я был в Испании, Италия судила меня и приговаривала в мое отсутствие. После окончания процесса меня перевезли в Италию, и уже был готов приговор, я знал, сколько мне надо отбыть.

Познер: Ну и сколько же?

Стриано: Пятнадцать лет и восемь месяцев.

Познер: А сколько вы отсидели?

Стриано: Восемь с половиной лет.

Познер: Потом вас выпустили за хорошее поведение?

Стриано: Отчасти из-за того, что я хорошо себя вел, отчасти благодаря тому, что вышло помилование, и мне скосили три года.

Познер: Что такое «помилование»?

Стриано: Помилование — это государственный закон, по которому снимают три года тюрьмы всем, когда уже некуда девать людей. (Со смехом.) Когда тюрьмы переполнены, заключенных приходится выпускать. И еще учитывается сумма сроков, которые я отсидел,

когда был младше. Они потом все складывают и просто делают арифметический расчет: пятнадцать лет и восемь, минус это, минус то, минус сё. Получается лет восемь-девять примерно.

Познер: Ну и что такое итальянская тюрьма? Какая она? Попробуйте просто чуть-чуть описать ее.

Стриано: Это бессмысленное место. Супермаркет преступлений. Спортзал, где ты можешь тренироваться для совершения любого преступления. Место, где у тебя отбирают все чувства. Если ты сам не говоришь там «хватит», то становишься бо́льшим ублюдком, чем был до того, как попал туда. Потому что там нет любви, там только надзирают и наказывают, надзирают и наказывают.

Познер: И в какой-то момент вы сказали себе: «Баста, я окончил с этим»?

Стриано: Я сказал «хватит»... (Вздыхает.) Пока я был в тюрьме, умер мой отец, умерла мать, я их так и не увидел... И мне это дело больше не нравилось. Потому что преступник... преступник не может любить. А я хотел любить. А затем я встретился с театром в тюрьме. И театр, я думаю, изменил мою жизнь.

Познер: Это была какая-то театральная тюрьма?

Стриано: Я сидел в тюрьме Ребибия в Риме, и там был театр. Пришел человек, который отбывал пожизненное заключение, и спросил нас, не хотим ли мы поучаствовать в театральном кружке. Ну так, забавы ради. Чтобы выйти из камеры, провести лишний час вместе, по-другому. И я согласился. Лучше выходить немного, ходить пешком, ходить в театр, чем лежать на койке двадцать четыре часа в сутки.

Познер: И что произошло с вами?

Стриано: Игра продлилась недолго. Дело в том, что... я никогда в жизни не читал. Вернее — читал только новости. А это оказалось здорово. Мне нравился герой, он был лучше меня... Мне нравилось играть, говорить: «Я хочу быть другим, не хочу больше быть собой». Еще в театре можно было побить кого-то, не сделав ему больно, можно было выстрелить и не убить, можно было нападать и никого не ранить. Все то же самое, что делал я, но со знаком плюс — идеальный вариант для меня.

Познер: А что вы читали?

Стриано: Что я читал? Много Шекспира, Брехта, стихи Леопарди, Назима Хикмета, Пабло Неруду, Гарсиа Лорку. Очень много пьес.

Познер: А какая пьеса Шекспира произвела на вас самое сильное впечатление?

Стриано: «Буря». Потому что там затрагиваются такие темы, как вина и прощение, свобода. Это были те чувства, с которыми я все время боролся. И при чтении меня охватывали особенные эмоции — во мне происходило что-то вроде травмы, по методу Станиславского. Пытаться увидеть в прошлой жизни то, о чем читаешь, и вспомнить те эмоции. С «Бурей» у меня это получалось.

Познер: А ваши мама и папа так и не узнали, что вы собираетесь хотя бы изменить свою жизнь и стать, например, актером. Они до этого не дожили?

Стриано: Нет.

Познер: Да... Я сегодня говорил с шефом полиции и спросил его, считает ли он, что само государство в значительной степени виновато в существовании Каморры. Как официальное лицо он не мог ответить прямо, но дал понять, что, наверное, считает. Вы того же мнения?

Стриано: Конечно. Это они. Они создают эту параллельную систему, чтобы подчистить все свои ошибки. Всю свою плохую работу. И все подразделения, которые они создали, — DIA (Direzione Investigativa Antimafia — отдел по расследованиям преступлений мафии. — *Прим. перев.*), DEA, специальная полиция — они намеренно нагнетают ситуацию. Неаполитанцам хватило бы одной субсидии, чтобы сказать «нет» Каморре. Достаточно посмотреть на этот дом. Будь у них помощь от государства, они никогда не сказали бы Каморре «да». Но у них ее нет. Поэтому, если они хотят есть и приходит Каморра со словами «Вот, бери», — они держатся за это крепко и говорят: «Это мой хлеб». Они не смотрят на то, что это наркотики. Это хлеб. И это дело рук государства. Потому что нельзя оставлять людей на произвол судьбы. Если у тебя трое детей, ты не можешь двух кормить, а одного — нет. Тот, кому ты не дашь еды, пойдет кормиться в другом месте. А другое место — это беззаконие.

Познер: Вы сейчас где живете?

Стриано: Я живу тут, внизу. Не в переулках. Здесь мне немного лучше. Мне плохо в переулках.

Познер: Вы работаете сейчас как актер?

Стриано: Да.

Познер: Где вы снимаетесь? Или в театре играете?

Стриано: Закончил в марте работать с неаполитанским «Театро Стабиле». Я два года колесил по всем театрам Италии. Как раз с «Бурей» Шекспира. Потом снимался в фильме в Риме, он называется «Из-за решетки — на сцену», это история моей жизни. Работал в нем с братьями Тавиани, кинорежиссерами. Тема фильма — Юлий Цезарь Шекспира. Еще одна тема, которая и сегодня, через две тысячи лет после древних римлян, актуальна... Шекспир пишет о таких вещах, как преступные группировки, предательство, власть, свобода. Таким образом он еще раз входит в мою жизнь, чтобы стать моим лечением, моим лекарством. И это просто потрясающе.

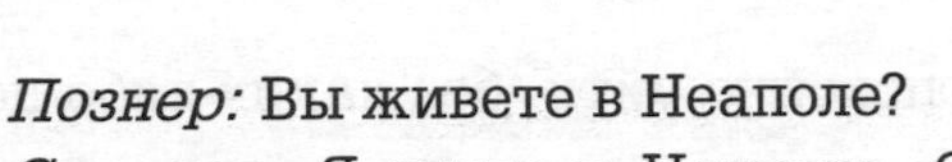

Познер: Вы живете в Неаполе?

Стриано: Я живу в Неаполе. Однако сейчас я в Милане, потому что мы репетируем. Меня пригласили сниматься в художественном фильме для телевидения, для Пятого канала. Фильм называется «Клан каморристов». Но мне всегда дают роли плохих персонажей. Ничего не могу с этим поделать.

Познер: Скажите, пожалуйста, в Милане знают про ваше прошлое?

Стриано: Да. Из-за фильма «Гоморра» почти все знают мою историю.

Познер: И к вам нормально относятся? Вы не чувствуете, что на вас люди смотрят с опаской?

Стриано: Я как... как гей. Как негр. Как еврей... Но я беспризорник, поэтому...

Познер: Как? При чем тут беспризорник?

Стриано: Беспризорники — это ребята, которые рождаются в переулках, которые растут на улице. И поэтому я не обижаюсь.

Познер: Нет?

Стриано: Проблема только в том, что люди упускают возможность узнать меня — я так всегда говорю. Моя мать научила меня одному: расист — это тот, кто видит различия, а не тот, у кого тяжелое прошлое или другой цвет кожи. Многие люди незрелые в этом отношении.

Познер: А ваши бывшие товарищи по Каморре — они вас оставляют в покое? То есть вы смогли спокойно уйти, без каких-либо последствий?

Стриано: Да. Я нашел очень хороший способ, чтобы сказать «хватит», я выбрал искусство, культуру. Многие выбирают предательство, переходят на сторону полиции, а это нехорошо, неправильно. Я же заплатил все, что должен был, а потом сказал «хватит». Я не могу больше жить такой жизнью. И они увидели, что это правда, и счастливы, что я изменил свою жизнь.

Познер: Никого не предали?

Стриано: Нет. Кроме родителей.

Познер: Оружие сдали?

Стриано: Да. Я его подарил.

Познер: Вы женаты?

Стриано: Да.

Познер: У вас есть дети?

Стриано: Нет.

Познер: Хотите?

Стриано: Сначала я хочу еще немного стабильности, потому что это очень большая ответственность — иметь детей.

Познер: Желаю вам удачи и счастливой жизни.

Стриано: Спасибо, от всего сердца.

Познер: Мы ничего не упустили? Ничего больше не хотите сказать?

Стриано: Ну что мне еще сказать? Что с тех пор, как я изменил свою жизнь, — странное дело — все, что я замечаю, идет не так. А когда я был тем, из-за кого все шло плохо, мне все казалось менее драматичным, менее грустным. Это меня пугает.

Познер: А вы верите в существование «хэппи-энда», счастливого конца? Верите, что это может быть?

Стриано: У нас в Неаполе был один парень, которого звали Мазанеду. Он устроил революцию в девятнадцатом, наверное, веке — может, ошибаюсь. Я думаю, что Неаполь близок к тому, чтобы вспомнить тот день, что неаполитанцы скоро устроят революцию. Такому городу нужно возрождение. Только сила народа способна возродить его. Не нужен мэр, не нужен один человек. Нужна сила сразу всех людей. Чтобы сказать «хватит».

Кардинал Равази

Кардинал Равази считается главным человеком Ватикана по связям с общественностью, Говорят, что он как никто другой умеет находить общий язык со всеми, при этом умело отстаивая позицию Ватикана. Готовясь к интервью с ним, я невольно вспоминал бессмертную дискуссию моего любимого Остапа Бендера с польским ксендзом, в которой Остап утверждал, что Бога нет. Полностью соглашаясь с Великим комбинатором, я также вспоминал гениальнейшую притчу о Великом инквизиторе из «Братьев Карамазовых» и пытался решить, каким образом повести разговор, не изменяя при этом моему принципу: дело интервьюера — задавать вопросы, а не спорить.

Что получилось — судить вам, читателям. Но не могу удержаться от некоторых соображений.

Первое. Католические архиереи более умелы, более эрудированы и более открыты для диалога, чем их православные коллеги.

Второе. Утверждение Равази о двух непересекающихся друг с другом истинах — блестящая находка.

Третье. Отдавая должное утонченности и ловкости кардинала, говорю прямо: он не показался мне убедительным в главном, потому что часто уходил от вопросов в область общих и довольно туманных рассуждений. Здесь он явно проигрывал оппоненту Бендера, который на все выпады сына турецкоподданного отвечал: «Есть Бог, есть!»

o—o

Познер: Если вы позволите, я начну с личных вопросов. Расскажите немного о себе. Где вы родились? Каким образом получилось так, что вы стали священником?

Равази: Моя история начинается в одной северной провинции Италии, в городке, где преимущественно занимались сельским хозяйством. Там я провел свои первые годы. Впоследствии я много лет прожил в Милане и других городах мира. Желание стать католическим священником идет из детства. Уже тогда у меня сложилось свое видение реальности. Видение, которое, с одной стороны, характеризовалось ограниченностью, слабостью,

Кардинал Равази

хрупкостью окружающего нас мира, истории; с другой стороны, я ощущал потребность в безграничности, вечности, меня волновал вопрос трансцендентности. Это личный и деликатный момент. И все это я осознал очень рано.

Познер: Чем вы сейчас занимаетесь? Я читал, что вы ведете телепрограмму, это так?

Равази: Да, вот уже двадцать три года по утрам в воскресенья я веду программу на телевидении. На ней присутствует очень разнообразная публика. Она формируется исходя из получаемых нами писем, по которым мы следим за реакцией зрителей. Практически двадцать процентов публики — это люди неверующие, несмотря на то, что программа религиозная. И к тому же она транслируется по национальному телевидению, но не государственному, а коммерческому. Я осознанно выбрал этот путь, который, на первый взгляд, кажется далеким от церковного мира.

Познер: Ну, у нас, значит, есть что-то общее с вами: я тоже в воскресенье веду телевизионную передачу, правда, не религиозную, но думаю, что двадцать процентов моих зрителей — как раз верующие люди. Скажите, какие проблемы сегодня, по-вашему, у Римской католический церкви? Главные проблемы?

Равази: Я думаю, что это так называемые внешние ее проблемы, имеющие более широкий горизонт и касающиеся не только внутренних дел. Основные таковы: первая — это отношения между верой и наукой, вторая — между верой и искусством в целом, и третья касается межкультурного общения — Католическую церковь окружают сообщества людей, имеющие иное религиозное выражение, и с ними необходимо находить общий язык. Еще одна важная тема — это коммуникация, то есть способность общаться с неверующими, с теми, кто равнодушен к религии, на понятном им языке.

Познер: Поговорим немножко о проблеме между верой и наукой. Она давняя. Самый яркий пример — Галилей, которого осудили в 1633 году, как вы знаете. И прошло практически четыреста лет, пока церковь наконец не признала, что он был прав. Это говорит об очень большой консервативности церкви, не так ли?

Равази: Прежде всего надо отметить, что вопрос отношений между церковью и наукой очень сложный и затрагивает все религиозные сообщества. История с Галилеем — несомненно, негативный опыт для Католической церкви. Нам пришлось это признать, и сейчас можно сказать, что мы могли бы и раньше сделать это. Однако не стоит забывать следующего факта: Галилея не приговорили официально, Папа так и не подписал приговор. Но несмотря на это, между наукой и верой остается преграда. В девятнадцатом веке произошло еще одно столкновение — на этот раз был Дарвин со своей идеей эволюции. Дарвина церковь не приговорила, но ситуация была очень напряженной. И в тот момент наука приняла позицию отвержения церкви. Можно вспомнить известное заявление датского философа позитивиста Огюста Конта*. Он сказал, что только физические утверждения являются

---

* Кардинал, видимо, оговорился: Огюст Конт был французом.

истинными, потому что их можно доказать. Все остальные — теологические и философские — несостоятельны. Сейчас отношение изменилось. И я считаю, что не следует смотреть в прошлое, не стоит осуждать его, нужно начать новый путь, у которого будут две траектории. Первая — это диалог между наукой и верой, а вторая представляет собой две параллельные дороги, науку и веру. Но эти параллельные и автономные дороги могут попытаться сблизиться и сократить дистанцию.

Познер: Вы согласны, что, возможно, главное отличие человека от остальных живых существ — это жажда познания, жажда узнавать, задавать постоянно вопросы: почему? почему? почему? Вы согласны, что это, вероятно, и делает человека человеком?

Равази: Это очень интересный вопрос, и должен сказать, что я полностью разделяю вашу мысль. Ответ мы встречаем еще в греческой культуре. В одном из диалогов Платона из Апологии Сократа Сократ заявляет следующее: «Жизнь без исследования не есть жизнь для человека». По этой причине я считаю, что наука и вера должны двигаться каждая своим путем по направлению к горизонтам, которые идут дальше истории и материи.

Познер: Не получается ли так, что церковь, в частности, Католическая церковь, встает на пути этой жажды — жажды познания? В

2010 году один английский физиолог получил Нобелевскую премию за работы в области так называемого экстракорпорального оплодотворения. И Ватикан осудил его за то, что он делает работу... ну, греховную, что ли. Не является ли это как раз преградой на пути нашего стремления узнавать, кто мы, что мы, как мы?

Равази: Прежде всего заметим, что религия имеет свое видение человека, включающее несколько основных элементов, от которых она не может отказаться. Представление о достоинстве человека, об уважении к жизни, о естественном порядке и так далее. Все это темы, затрагиваемые любой религией. У католиков своя антропология, которой они должны придерживаться. В рамках диалога с наукой могут быть разногласия, наука иногда идет по пути, противоречащему религиозным представлениям. В связи с этим я считаю, что не обязательно все время приходить к какому-то согласию, важно быть последовательными, следовать собственным традициям и мировоззрению.

Познер: То есть, по-вашему, этот конфликт, во-первых, непреодолим, потому что это два принципиально разных взгляда, а во-вторых, он, тем не менее, все же позволяет нам развиваться так, как мы считаем нужным?

Равази: Думаю, что сейчас будет кстати привести примеры этого отношения между наукой и верой. Вот вам первый. Один американский ученый, еврей и неверующий, Стивен Гулд, сформулировал теорию двух уровней, которая на английском звучит так: «non overlaping magisteria» (непересекающиеся магистерии). Это теория об областях жизни, которые не могут накладываться друг на друга, пересекаться. Но при этом необходимо взаимное уважение. Не просто не конфликтовать, но и уважать друг друга. Это первый путь, о котором стоит сказать. Наука отвечает на вопрос «как?», теология и философия — на вопросы «почему?», «в чем смысл?». Это разные вопросы. Существует и второй взгляд на эту проблему. Это мнение принадлежит Михалу Хеллеру, польскому ученому, который работает в Соединенных Штатах. Он сформулировал теорию диалога между наукой и верой. Эта теория заявляет следующее: предмет изучения один — это человек или мир. Неизбежно то, что и теолог со своим видением, и ученый со своими взглядами изучают один и то же предмет, а именно человека или мир. Но под разным углом зрения. Иногда они приходят к абсолютно противоположным выводам, но порой представляется и возможность сотрудничать. И мне хотелось бы привести несколько примеров. Первый касается философии. Теория относительности Эйнштейна — может быть, об этом говорил и сам Эйнштейн — сформулирована посредством не только физических категорий времени и пространства, но также и философских. Недостаточно одной науки, чтобы объяснить теорию относительности, лишь физических понятий времени и пространства. Нужен и философский вклад. Второй пример связан со следующим фактом. Представим, что ученый, изучающий клетки кожи в своей лаборатории, выходит после работы, идет на какой-нибудь званый обед, где встречает женщину, в которую страстно влюбляется. Глядя на ее лицо, он будет рассматривать его, опираясь не только на биологические критерии, но и на эстетические. Таким образом, это уже будет не наука в чистом виде, для него станет важным также и не научный подход. Познание человека многообразно. Познание научное сочетается с познанием художественным, философским и духовным.

Познер: Согласны ли вы с тем, что за последние сто лет вера, христианская вера вообще, потерпела... как бы сказать... убытки? Согласитесь ли, что с верой есть проблемы, особенно в последние годы?

Равази: На этот вопрос мне не хотелось бы отвечать от своего имени, поскольку я человек, связанный с церковью. Да, на первый взгляд приток людей в церковь уменьшился. Поэтому хочу процитировать слова одного ученого, который провел глубокий анализ по данной теме. Канадский социолог Чарльз Тейлор в своей работе «A secular age» («Светский век»), опубликованной два года назад, предложил два утверждения на эту тему. Согласно первому мы, вне всякого сомнения, все больше и больше отдаляемся от церкви. Религия теряет свою силу. Думаю, то же самое происходит и в России. Все меньше людей ходят в церковь. Он, однако, замечает, что это касается лишь количественной оценки. Но если мы подумаем о качественной стороне вопроса, возьмем за единицу отсчета качественные параметры и посмотрим, насколько глубоко люди воспринимают религию, то увидим, что некоторые религии (не будем говорить, имеет ли это положительный или отрицательный эффект) даже набирают мощь — например, ислам. Сейчас это очень сильная религия. Второе утверждение свидетельствует о том, что мир возвращается к разным формам духовности. Это не обязательно религия, возможно, волшебство, магия, приверженность к чему-то. Но стремление к святому еще живет.

Познер: Раз вы упомянули ислам — что вы думаете о фундаментализме?

Равази: У меня есть две мысли на этот счет. Во-первых, ислам — это очень сложная реальность, его нельзя свести только к фундаментализму, который является самой очевидной и самой яркой его характеристикой. Я много встречался с иранскими делегациями, они стремятся к диалогу с нами вне рамок фундаментализма. Во-вторых, фундаментализм по сути — это слабость религии, которой постоянно надо утверждаться, защищаясь во враждебно настроенном к ней мире.

Познер: Вы говорили о сложности взаимоотношений между церковью и искусством. Не могли бы вы объяснить, что вы имели в виду?

Равази: Прежде всего мы должны признать тот факт (и это, кстати, действительно и для России тоже, но особенно для католической Европы), что за плечами у нас богатые традиции, огромное культурное наследие. Нет ни одного музея в Европе, Соединенных Штатах, а также в других странах, где мы не познакомились бы с символами и основами христианства. Это касается прошлого. А теперь скажем несколько слов о настоящем. Проблема лежит в современном диалоге с искусством. Начиная с прошлого века, искусство и вера разошлись. Искусство нацелилось исключительно на исследование мирского, на элементы материальные, на компоненты, которые порой непонятны публике. Это скорее внутренний поиск, искусство характеризуется самонаправленностью. Многие стороны современного искусства не соответствуют традиционным канонам. Религия же, литургия и церковь остались верны традициям и лишь повторяли формулы прошлого, используя кустарное производство. Искусство и вера пошли абсолютно разными путями. В прошлом все обстояло иначе: великие библейские темы и сюжеты всегда жили в творце. По этой причине я предложил, чтобы Католическая церковь приняла участие в венецианском Биеннале, где у нас будет свой павильон. И артистам, которых я отберу по всему миру, я предложу просто прочитать первые одиннадцать глав Книги Бытия, где они могут найти все основные религиозные темы, связанные с верой и существованием: жизнь, смерть, насилие, мироздание, разрушение мироздания, империализм власти и так далее.

Познер: Я по образованию физиолог, то есть я занимался наукой. И я смотрю на догмы как на что-то абсолютно неприемлемое. Когда мне говорят: ты не можешь спрашивать, ты не можешь сомневаться, ты должен верить, мне кажется, что это противоречит самому существу человека. Что вы думаете по этому поводу?

Равази: Этот вопрос касается также и философии и имеет очень широкий горизонт рассмотрения. В чем же на самом деле заключается противоречие, которое может возникнуть? Как я сказал ранее, не обязательно пытаться прийти к соглашению между верой и наукой, мыслью и верой. Основной момент здесь — вопрос истины. В современном обществе, выражаясь простым языком, существуют два ее понятия. В независимости от того, говорим ли мы о верующих людях или неверующих, первое понятие истины таково: истина была до нас и останется после нас, то есть истина объективна, она существует вне нас, и мы должны ее познать. Хорошо об этом сказал Платон (как вы видите, изначально это не христианская идея, но впоследствии христианство с ней согласится): «Душа на колеснице едет по равнине истины». То есть истина — это равнина, по которой движется душа, и в процессе она постигает ее. Это прогрессивный процесс. Движение вперед. Второе понятие возникло в семнадцатом веке и связано с именем английского философа Томаса Гоббса и его работой «Левиафан». В этой работе он формулирует следующее заявление: истина — это не фундаментальная норма, каждый вправе решить, что есть истина, а что — ложь в зависимости от обстоятельств. То есть истину создает сам субъект, и поэтому она способна меняться. Мы можем встретить эти два понятия и в науке, и в религии. В науке тоже существуют догмы и основные понятия, а в религии — объективные данные. Но и религия, и наука должны оставлять место поиску.

Познер: Как вы относитесь к тому, что за прошедшие полвека, в особенности в западном мире, куда я включаю Россию, в качестве чуть ли не главной цели люди поставили себе обогащение? Деньги играют главную роль. Для очень многих людей, в том числе и молодых,

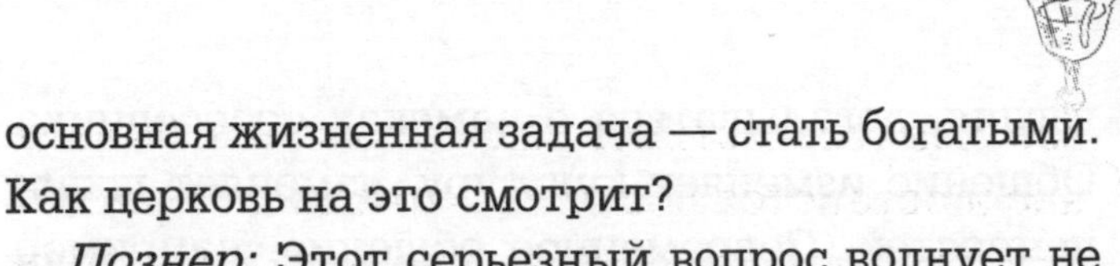

основная жизненная задача — стать богатыми. Как церковь на это смотрит?

Познер: Этот серьезный вопрос волнует не только Католическую, но и Православную, и Протестантскую церковь. Сейчас формируется новая человеческая модель, у которой, на мой взгляд, две или три разные стороны. Первая сторона — это то, о чем упомянули вы в своем вопросе, а именно: человек под воздействием средств массовой информации начинает считать смыслом своей жизни материальные вещи. В девятнадцатом веке датский философ Серен Кьеркегор хорошо высказался на этот счет в своем дневнике: «Корабль уже в руках повара». Командир корабля передает по мегафону не маршрут, а меню на завтра. Этот момент присутствует даже в Библии — там, где речь идет об идолопоклонстве. Суть идолопоклонства заключается в том, что человек в качестве единственного объекта своих желаний выбирает не идеал и не Бога, а некий предмет. Другая сторона современного человека связана преимущественно с виртуальным общением посредством Интернета или телевидения. Основная характеристика такого общения — холодность. Молодой человек, который проводит перед монитором по четыре-пять часов, разговаривая со своим другом или подругой, имеет абсолютно иной тип коммуникации, нежели мы с вами сейчас. Мы можем видеть лицо, мимику, взгляд, догадываться о намеках собеседника. Общение изменяет культуру, изменяет шкалу ценностей. Современное общение, например, лишает нас возможности любить напрямую, и не только в сексуальном или материальном плане, но и вкладывая все наши чувства. Эрос, страсть, нежность, тепло — все это ценности, которые исчезают при отсутствии личностного, прямого общения.

Познер: Следует ли понимать так, что вы не очень оптимистически смотрите на будущее развитие человечества?

Равази: Для меня всегда имела огромное значение идея великого западного мыслителя Блеза Паскаля. Он был ученым, философом, а также верующим человеком, теологом. Он говорил: «Человек бесконечно превосходит человека». Конечно, с помощью рекламы мы способны убедить любого, что для счастья ему достаточно иметь возможность купить все, что ему предлагают витрины магазинов. Но у человека внутри всегда есть духовность (и мы не обязательно говорим здесь о вере, мы говорим о мирской духовности, которая будет вести его дальше и выше). Таким образом, надо верить в людей. Я думаю, существуют три-четыре фактора, которые доказывают нам, что человеческое существо нельзя свести лишь к потреблению, вещам и сексуальному удовольствию. Во-первых, человек влюбляется, испытывает настоящую любовь, настоящую страсть, желание отдавать. Во-вторых, он сталкивается с болью, с тайной страдания. В-третьих, встречается со смертью, и у него возникают вопросы: «почему?», «какой смысл в жизни?». И наконец, он способен любоваться необычайной красотой — например, природы, произведений искусства.

Познер: Вы когда-нибудь читали нобелевскую речь Уильяма Фолкнера? Он там говорит, что человек не только выстоит, но победит, победит именно потому, что у него есть душа, и это его спасет в итоге. Что вы думаете об этом?

Равази: Думаю, что это утверждение огромной силы, и оно соотносится со всем тем, что мы сказали до этого момента. Существует много определений души. Каждый философ описывал ее по-своему. Из всех определений можно выделить следующее: душа — это совесть человека, глубокая совесть, которую в современном обществе все стремятся заставить замолчать, отделить от нашей натуры. Но именно совесть спасет человечество. Спасет, потому что заставит нас искать вечное, бесконечное, а также вернет нам нравственность. Нравственность — это неотъемлемое условие жизни в обществе.

Познер: В связи с этим я не могу не спросить... Христианство существует давно, десять заповедей написаны очень давно, но за весь этот период, за две тысячи лет, чуть больше, человек ведь не стал лучше. Он как убивал, так и убивает, как воровал, так и ворует, как изменял, так и изменяет. Это вас не разочаровывает? Заповеди были провозглашены, их учат наизусть, а вот результат как-то не особо виден. И даже наоборот — убивают больше, преступления страшнее. Что скажете?

Равази: Конечно, необходимо признать, что одной из основных категорий христианской теологии, католической, православной и протестантской, является категория первородного греха, то есть негативного источника человеческой натуры в ситуации, когда ей предоставляется свобода. Оптимистическое видение Руссо человека идеального и совершенного можно считать недостаточным и просветительским. Верно и то, что человек постоянно сеет зло. Но надо отметить, что равновесие добра и зла мы всегда рассматриваем через призму зла. Газеты, средства массовой информации обычно сообщают нам плохие новости: они говорят о войне, о преступлениях и стараются не упоминать о хороших событиях и добрых делах, которые человечество постоянно совершает. И добрые дела всегда перевешивают на весах истории. Подумайте только о родителях, которые проснулись сегодня утром и начали день, отдавая все лучшее, что есть в них, своим детям. Подумайте о многочисленных волонте-

рах. Подумайте о духовности, которая многим свойственна, о желании творить добро. Так что история не столь мрачна, как кажется на первый взгляд.

Познер: Ну да, ну да. В 2009 году в газете Ватикана «Оссерваторио романо» вышла статья, в которой автор говорит, будто учение Маркса неправильно понято и могло бы быть очень полезным для решения экономического кризиса, да и не только для этого. Означает ли это, что Католическая церковь стала по-другому смотреть на Маркса?

Равази: Я имел возможность цитировать Карла Маркса по случаю одного важного мероприятия, которое мы провели в Париже, с целью установить диалог между верующими и неверующими. В той речи я сказал, что видение Карла Маркса, так же как и совершенно иное видение Ницше, — это альтернативные взгляды по отношению к христианскому мировоззрению. Но ценность их в том, что это глобальные мировоззрения на человека, общество и историю. Они абстрагируются от христианской системы ценностей и, однако, содержат в себе этическое видение, даже если это мирская этика. Это по-своему культурное, духовное видение. Сейчас в современном обществе мы сталкиваемся с другой формой бытия, которая навевает ностальгию по мировоззрению Маркса. В современной культуре господствует образ мыслей, опирающийся на равнодушие, отказ от глобальных понятий. Нет больше идеологий. Эти идеологии порой были негативными, но их преимущество заключалось в наличии видения, а оно в свою очередь содержало ценности, которые мы могли применить в нашей жизни. В случае с Марксом это социальные ценности, социальная справедливость.

Познер: У меня еще один серьезный вопрос и два несерьезных. Есть религия, которая представляет собой некий взгляд на существование, на жизнь в целом. И есть церковь, которая берет на себя функцию осуществления, толкования этой философии. Есть коммунистическая философия, но есть и коммунистическая партия, которая берет на себя функцию осуществления и толкования этой философии. Однако это только в теории. На самом деле все получается иначе — например, Коммунистическая партия Советского Союза на самом деле ничего не имела общего с философией коммунизма. В какой степени, на ваш взгляд, церковь, в данном случае Католическая церковь, живет в ладу с самим учением Христа?

Равази: Я, возможно, зайду в ответе дальше, поскольку здесь следовало бы выстроить целый ряд рассуждений — ведь это очень сложный вопрос, несмотря на кажущуюся его простоту. Прежде всего всегда и в любом случае

религия (сейчас мы говорим о христианских церквах) — это конкретное историческое воплощение, находящееся на некоем расстоянии от идеала. На него постоянно давит вес истории человечества. Таким образом церковь в любой момент должна быть готова исправить некоторые факты на основе идеала. В действительности, если говорить сравнениями, идеал, основной образ — это как Полярная звезда, которой надо следовать, но порой мы отклоняемся и выбираем другие пути. Это то, что в христианской религии называется необходимостью преобразования. В обществе она всегда обязана присутствовать, чтобы не было такого расстояния, какое наблюдалось между коммунистической партией и коммунистическими идеалами. Отвечая на ваш вопрос, можно было бы привести еще очень много рассуждений. Хочу остановиться на одном из них, наиболее сложном для мира веры. Это отношение между верой и политикой, между церковью и государством. С одной стороны, несомненно, у церкви есть функция — предлагать духовные ценности. Но с другой стороны, она связана с конкретными людьми, с историей и, как следствие, имеет представителей не только в храме, но и на площади.

Познер: Это как?

Равази: Скажем так: церковь, безусловно, должна определять универсальные духовные ценности. Но она должна присутствовать и на площади. В связи с этим самое точное определение, возможно, мы видим в Евангелии, когда Иисус отвечает на вопрос о налоге, который следует заплатить Цезарю: Цезарю — Цезарево, а Богу — Богово. Политика имеет свою независимость, экономика имеет свою независимость. На монете, как говорил Христос, изображение Цезаря, что свидетельствует об автономности. Но фраза «Богу — Богово» означает, например, необходимость уважать свободу человека, его достоинство, любовь, справедливость, жизнь. И эти понятия затрагивают также и общество. Поэтому отношения очень сложные.

Познер: Теперь совсем короткие и несерьезные вопросы. Существует ли итальянский характер, не тосканский, не сицилианский, не неаполитанский, а итальянский — на ваш взгляд?

Равази: Думаю, что мы можем утверждать о наличии итальянского характера, так же как мы можем говорить и о русском национальном характере, несмотря на все этническое разнообразие, которое встречаем на территории России. Полагаю, что отличительной чертой итальянского характера является креативность, возможность свободно передвигаться. Наш характер связан с солнцем, мы очень солнечные люди. Это свобода, которая порой становится причиной неразберихи.

Познер: Вы сказали, что много ездили по Италии. Если бы я мог поехать только в одно-единственное место из тех, которые вы больше всего любите, куда вы бы меня направили?

Равази: Это очень сложно, поскольку Италия необычайно богатая страна. Но лучше всего с точки зрения культуры ее представит не одно место, а традиционный триптих: Рим, Флоренция, Венеция. Только все вместе. И нельзя исключить никакой из этих городов. Это если мы говорим о культуре...

Познер: Да, я понял. А все-таки у вас есть любимое место? Куда вы приезжаете, например, и которое у вас сидит в сердце?

Равази: Может показаться парадоксальным, но своим любимым местом я назвал бы одну римскую церковь. Вероятно, она вам знакома, однако я в любом случае приглашаю вас посетить ее. Она не самая красивая в Риме, но в ней находится картина, которая мне особенно дорога. Это церковь Сан-Луиджи-деи-Франчези с картиной Караваджо «Призвание святого Матфея».

Познер: И совсем несерьезный вопрос. Есть ли у вас любимое блюдо, про которое вы как итальянец сказали бы мне: «Это вы должны обязательно попробовать»?

Равази: Для начала упомяну о еще одной парадоксальной своей особенности: я являюсь гражданином Италии и гражданином

Ватикана, у меня две национальности. Но в Ватикане нет характерных блюд. Только у Италии такие богатые традиции. В глазах русских телезрителей я хочу быть предсказуемым и не стану рекомендовать им утонченные блюда, а посоветую еще раз спагетти.

Познер: Что ж, вы предложили мне пищу материальную и много пищи духовной, за что я очень признателен вам.

Равази: Я тоже благодарю вас, а также всех телезрителей. И должен сказать, что одним из самых моих любимых писателей является Достоевский.

Познер: Не «Братья...» ли «...Карамазовы»?

Равази: «Братья Карамазовы». «Преступление и наказание». «Записки из подполья».

ФЕРРУЧЧО ФЕРРАГАМО

История создания бренда «Феррагамо» — это что-то из голливудского кино. Тут есть все: и бедный мальчик, родившийся в маленькой деревушке; и родители, выступающие против того, чтобы он занимался тем, чем его одарила судьба; и бегство в Америку, и сказочный успех, и крах, и любовь, и смерть, и возрождение... Если бы кто предложил такой сценарий для фильма, уверен, от него отказались бы: такого не бывает, сказали бы, это какая-то фантастика.

Феруччо Феррагамо — симпатичнейший человек, совершенно простой в общении. Нет и намека на то, что он — миллиардер. Он произвел на меня большое впечатление, но несравненно сильнее поразила меня его мать. К сожалению, потрепав меня по щеке, она не согласилась на интервью. «В моем возрасте, — сказала она, — только больные или дуры подставляют лицо камере. А я здорова и в своем уме».

Что правда, то правда.

o—o

Познер: Марка «Сальваторе Феррагамо» — это империя, она везде, по всему миру, но все началось с очень небольшого местечка. Расскажите мне, пожалуйста, историю с первых дней.

Феррагамо: История того, как мой отец Сальваторе начал свою карьеру, невероятно увлекательна. Он был молодым человеком, ему очень нравилось шить обувь, но его родители ненавидели эту профессию. Однако он не сдался. В деревне был сапожник, и папа сбегал из дома и шел через дорогу к нему в мастерскую помогать. В конце концов он уже так навострился все делать, что оставался за главного в лавке, пока хозяин пил в баре. Однажды за одну ночь папа изготовил пару белых туфель для своей младшей сестры, которой предстояло первое причастие. Родители поняли, что нет надежды заставить его стать адвокатом, или врачом, или архитектором. Папе было четырнадцать, когда он уехал в Америку.

Познер: В возрасте четырнадцати лет?

Феррагамо: Да. Он отправился навстречу приключениям. Папа хотел попытаться делать обувь в Америке. Его старший брат, который уже жил там, нашел ему потрясающую работу.

Феруччо Феррагамо

В Бостоне, на современной фабрике с конвейером и новым оборудованием.

Познер: Это было в каком году?

Феррагамо: Это, должно быть, был 1912 год.

Познер: До Первой мировой войны?

Феррагамо: Да, да, да. Итак, в Америке он начал работать на фабрике, ему требовалась работа, но ботинки там выходили как «хот-доги». Папа сказал: «Я люблю обувь, но не о такой обуви я думал. Я хочу создавать свою собственную обувь». Он уволился и переехал в Санта-Барбару, поблизости от Голливуда, открыл там очень маленькую мастерскую, размером два на два метра, и начал делать такую обувь, о которой мечтал. Очень художественную, вы можете на нее посмотреть в музее Феррагамо. Благодаря «сарафанному радио» звезды Голливуда стали туда приходить, их друзья и коллеги видели на них обувь и тоже приходили. Папа был настолько завален заказами, что не справлялся. В 1927 году, в двадцать девять лет, он вернулся в Италию. Он выбрал Флоренцию как город, который вдохновлял его. В то время это было место более интернациональное, чем остальные, и более культурное, чем юг Италии. В тот год он основал в Италии свою компанию — «Сальваторе Феррагамо».

Познер: Если я правильно помню, ваш отец родился в маленькой деревне, в его семье было четырнадцать детей.

Феррагамо: Да, папа был тринадцатым.

Познер: А ведь тринадцать — несчастливое число.

Феррагамо (смеется): Ну... не всегда.

Познер: Оказалось счастливым. Это была очень бедная семья?

Феррагамо: Ну да, у них имелось всего ровно столько, сколько нужно для выживания.

Познер: А чем занимались его родители?

Феррагамо: Они владели фермой, по-моему, там имелись дом и поле (я не знаю, насколько большое, я его никогда не видел, но изначаль-

но у них было гектаров десять — что-то в этом духе, и вся семья жила на этих десяти гектарах). Потом многие из семьи эмигрировали, уехали в Америку, в Неаполь, в большие города в поисках удачи.

Познер: Как называется эта деревня?

Феррагамо: Бонито.

Познер: Это на юге?

Феррагамо: Да, это на юго-востоке от Неаполя.

Познер: Вы сказали, что он был одним из четырнадцати детей. А что с другими тринадцатью — они добились успеха в жизни?

Феррагамо: И да, и нет. Один из старших, то ли первый, то ли второй, Августино — он был гений. По-моему, он получил высшее образование в возрасте восемнадцати или девятнадцати лет. Но он, к сожалению, умер очень молодым, в двадцать пять или двадцать шесть. Еще один, Альфонцо, тоже уехал в Америку — именно он помог там папе, когда тот туда переехал. Он был успешен, но ничего особенного.

Познер: Ни у кого из них карьера не сложилась так, как у вашего папы?

Феррагамо (решительно): Нет, нет.

Познер: У вашего отца было шестеро детей?

Феррагамо: Да.

Познер: И все родились во Флоренции?

Феррагамо: Все родились во Флоренции в одном и том же доме, в одной и той же комнате.

Познер: Вас когда-нибудь возили посмотреть на деревню, откуда...

Феррагамо (перебивает): Да, да, это милая история на самом деле. Каждый раз на мамин день рождения было очень сложно выбрать подарок, потому что она сама покупала то, что ей нравится. Так что мы пытались ее расспросить: «Мама, ну скажи нам, чего тебе хочется?» — «Ничего, ничего, не тратьте денег, мне ничего не надо, у меня все хорошо». Потом она как-то подумала и сказала: «Вообще-то у меня есть желание: в качестве подарка на день рождения я бы хотела, чтобы вы все с супругами и моими внуками старше шести-семи лет поехали в Бонито и посмотрели, где родились ваш папа и я». И мы поехали и прекрасно провели время.

Познер: Она тоже родилась в Бонито?

Феррагамо: Да, мамочка тоже.

Познер: А когда ваш папа с ней познакомился? Он же в четырнадцать лет уехал из деревни?

Феррагамо: Да, но папа вернулся туда навестить родственников. Он пошел встретиться с кем-то — наверное, с моим дедом, но встретил мою маму. Она знала, что это тот самый знаменитый Сальваторе...

Познер: Он уже был знаменитым?

Феррагамо: Ну да, а мама, типичная женщина (усмехается), подошла к нему и...

Познер: Он, наверное, был очень независимым человеком. Все бросить и в четырнадцать лет уехать в Америку! Четырнадцать — это же еще ребенок.

Феррагамо: Да, он был очень уверен в себе и в том, что хотел делать. Много раз папа говорил, что в предыдущей жизни тоже шил обувь. Он в своей книге так пишет. Потом в 1929 году, через два года после возвращения в Италию, произошел экономический кризис, крах, и в 1931 году папа обанкротился, потому что люди перестали платить по счетам. У него были трудные времена. Но несмотря на это, два года спустя, в 1933 году, он купил это здание, в котором мы с вами находимся

Познер: Это палаццо?

Феррагамо: Это палаццо. Он купил его через два года после своего банкротства, и еще через несколько лет приобрел дом во Фьензо, где мы все родились. Он был абсолютно уверен в себе и обладал большой смелостью.

Познер: Обувь, которую он шил в Санта-Барбаре, была женская или и мужская тоже?

Феррагамо: На девяносто процентов женская. Он также делал ботинки для знаменитого Рудольфа Валентино*, но большая часть обуви изготовлялась для женщин. Когда папа умер в

---

* Рудольф Валентино — знаменитый герой-любовник американского немого кино.

1960 году, компания производила только женские туфли.

Познер: А что же было дальше?

Феррагамо: Дальше мама взяла дела в свои руки. Мама — еще один неординарный человек в нашей семье. Ей исполнилось тридцать восемь лет на момент папиной смерти (она на двадцать четыре года моложе него), а нам, детям, было от семнадцати, как моей сестре Фиаме, до двух, как моему брату Массимо. Мама говорила: «Я знаю, как делать детей, а не обувь». Но она обладала смелостью и мечтала достичь целей отца. И тогда мы все вместе расширили ассортимент компании от женской обуви до всех тех продуктов для мужчин и женщин, которые производим сегодня. Когда мама рассказывает о препятствиях и целях, это очень увлекательно.

Познер: Ваша мама еще жива?

Феррагамо: Да, мама в офисе.

Познер: Прямо сейчас?

Феррагамо: Да, прямо сейчас. Она каждый день приходит в офис.

Познер: Сколько ей лет?

Феррагамо: Маме восемьдесят девять.

Познер: Восемьдесят девять?!

Феррагамо: Да, но у нее абсолютно светлая голова. Она совершенный персонаж, я хотел бы вас познакомить.

Познер: С удовольствием!.. Я говорил со многими итальянцами по ходу съемок, и один из вопросов, который я задаю, следующий: откуда у итальянцев такое чувство прекрасного? Я наполовину француз, мама моя француженка, я родился в Париже, у французов такое тоже есть, но я вынужден признать, что итальянцы в этом уникальны. Вы знаете, откуда это берется? Ренессанс, конечно, сыграл роль, но у меня ощущение, что итальянцы рождаются с этим чувством.

Феррагамо: Да, это хороший вопрос, я никогда не задумывался над ним в том ракурсе, под которым вы его задали. Но я думаю, что это заложено в генах итальянца, наверное, это связано с окружающими нас вещами, которые невероятно красивы. Живя во Флоренции, трудно это не ценить и не впитывать. Или в Венеции, или в Риме, но Париж тоже...

Познер (перебивает): Считаете ли вы, что если человек рождается, окруженный красотой, и вырастает в этом окружении, то, сам того не подозревая, он все впитывает, формируется под воздействием этого?

Феррагамо: Нет сомнений, что это идет от культуры, от образования, от того, к чему ты привык.

Познер: Смотрите, в шестидесятые и семидесятые годы прошлого века строили совершенно безликие, одинаковые дома, снаружи и внутри у них все было одинаково. Как вам кажется, на людей, которые родились и выросли в таких домах, это как-то повлияло? Они что-то теряют от того, что растут в подобной атмосфере, теряют чувство прекрасного? Не об этом ли фильм Кубрика «Механический апельсин»?

Феррагамо: Возможно, возможно. Я также думаю, что люди, делающие красивый продукт, который ценится на рынке (а рынок в итоге, как и в случае с остальными вещами, с брендами или компаниями, выбирает сам), растут и развиваются, а остальные...

Познер: Вопрос с заковыркой: вы считаете себя итальянцем или флорентийцем?

Феррагамо (смеется): Кровь моя полностью неаполитанская, мама и папа оба с юга Италии, из Бонито, и кровь моя оттуда. Но образование у меня флорентийское. Я считаю себя хорошей смесью, и там и там есть слабые стороны, но надеюсь, что они мне не передались.

Познер: Много лет назад, впервые приехав в Италию, я посетил Рим. Был август, стояла страшная жара, было малолюдно из-за летних каникул. И я пошел на Форум. Форум, как вы знаете, расположен ниже, чем город, там не слышно городского шума. Доносилось лишь пение цикад. Я шел по этим руинам и вдруг понял: вот откуда я, вот где все начиналось, и у меня по коже побежали мурашки. Вы как итальянец чувствуете, что ваши корни уходят в эпоху Древнего Рима?

Феррагамо: Может быть, не так далеко, не в такую древность. Но корни, конечно, это очень важно, это сильно на тебя влияет. В моей жизни это проявилось, когда я начал учиться делать обувь. Папа не заставлял меня, но настоятельно просил заняться этим, еще когда мне было девять. Он приводил меня в офис, считая, что четыре месяца летних каникул — это слишком. Поэтому в сентябре он стал мне платить, я был счастлив! Я не любил учиться, но мне очень нравилось работать, и я ходил с ним на встречи с прекрасными актрисами (это было совсем не плохо!) и учился делать обувь. Думаю, это помогло мне в дальнейшем росте.

Познер: Вы который из шести детей?

Феррагамо: Третий.

Познер: У вас есть старший брат?

Феррагамо: У меня две старшие сестры — Фиама и Джованна. Есть еще сестра после меня, Фульвия, а потом Леонардо и Массимо.

Познер: Остальные тоже учились делать обувь?

Феррагамо: Мальчики — да. Мы все трое знаем это ремесло.

Познер: Все?

Феррагамо: Да, это увлекательно — осознавать, что из куска кожи получились ботинки, очень крепкие, способные держать вес твоего тела. Сейчас, после папы, мы разделили работу. Девочки занялись творчеством. Фиама — обувью и сумками, Джованна — одеждой, Фульвия — шелком, платками и галстуками, а мальчики — техническими вещами: продажами, оптовыми поставками, администрированием. Мы все очень похожи...

Познер: Ваша обувь изготовляется вручную?

Феррагамо: Нет, ее держат в руках люди, но есть машина, которая работает, пока человек держит ботинок. Это интересно: посмотреть, как делаются туфли.

Познер: Вы делаете обувь на заказ?

Феррагамо: Мы делаем обувь на заказ, да, но у нас огромный выбор размеров. У каждой длины есть шесть вариаций ширины. Поэтому я часто говорю клиентам, что мы сделали туфли по их меркам еще до того, как они вошли в магазин.

Познер: Вот вопрос, который я задаю почти каждому итальянцу, у которого беру интервью: представьте, что я впервые в Италии и у меня мало времени, я могу посмотреть одно, только одно место здесь и больше сюда никогда не вернусь, — куда мне ехать?

Феррагамо: Дайте я подумаю.

Познер: Только не говорите, что я должен поехать в Венецию. Если в Венецию, то будьте конкретны: что именно мне следует там увидеть.

Феррагамо: Я хотел как раз назвать Венецию. (Смеются.)

Познер: Я так и думал...

Феррагамо: Но если нужно что-то особенное, есть город, который недостаточно знают, хотя он прекрасен, — это Неаполь. В Неаполе вы найдете все: море, вулкан, еду, очарование неаполитанцев. Он очень мало известен. Однако если у вас только один визит и вы никогда больше не вернетесь (правда, я надеюсь, что вернетесь!), то поезжайте в Неаполь.

Познер: Постараюсь вернуться.

Феррагамо: Я должен признать, что и Рим очень красивый город, Рим вам предложит больше, чем Флоренция. Хотя Флоренция невероятно насыщенная. И тоже красивая.

Познер: Да уж... А что насчет еды? Я спрашиваю у разных итальянцев: какое блюдо мне стоит попробовать? И все мне называют очень простые блюда — паста с тем-то, паста с тем-то, крестьянский суп такой-то, хлеб с чесноком и помидорами. Никто не рекомендует высокую кухню. Что вы посоветуете мне, и где это лучше всего готовят?

Феррагамо: Я обожаю простую, очень простую еду, и не маленькие порции, так что высокая кухня исключается. Я люблю пасту, что естественно для Италии. Спагетти с помидорами — это типичное, одно из самых простых и вкусных блюд. Но дальше список продолжается и продолжается. Есть, например, паста аль форно, знаете, разные виды. Но мое любимое — это правильно приготовленные и правильно сваренные по времени, что не так-то просто, спагетти с томатным соусом — это типично итальянское, очень хорошее...

Познер: Другая тема: вы довольны Италией сегодня?

Феррагамо: Чем?

Познер: Ситуацией в Италии сегодня.

Феррагамо: Нет, совсем не доволен. Я считаю, что Италия — прекрасная страна с прекрасным народом. Итальянцы способны работать, способны к бизнесу, очень инициативны, хорошие естественные люди. Но у нас проблемы с правительством, и я не говорю даже о конкретном сегодняшнем правительстве. Я говорю в общем. Мне приходится мысленно возвращаться на много-много лет назад, чтобы вспомнить правительство, которое действительно выкладывалось бы и люди в котором защищали бы интересы Италии — так, как антрепренер защищает интересы своей компании. Этого мне сильно не хватает. И очень трудно что-то поменять, потому что один человек — это капля в море. Я ценю недавние попытки некоторых индивидов, но им очень сложно.

Познер: Что, по-вашему, является самой главной проблемой Италии сегодня?

Феррагамо: То, что люди не думают о ней. В разных сферах жизни я не вижу, чтобы то, что делается, делалось бы в интересах страны.

Познер: Одна из основных проблем в России сегодня, на мой взгляд, заключается в том, что деньги стали движущей силой почти всего. Одно дело, когда вы хотите создавать красивую обувь — вы ее создаете и продаете дорого. Но не деньги заставляют вас делать это, деньги — лишь результат. С вашей точки зрения, насколько сегодня жажда денег играет роль в жизни молодых итальянцев?

Феррагамо: Это очень важная глава — молодые люди. Я в попечительском совете, я председатель флорентийской школы, которая называется «Полимода». Это прекрасная школа, у нас тысяча учеников. У них проходят занятия по тканям, по стилю, по моделированию, нам повезло, потому что девяносто четыре процента наших студентов находят работу в течение шести месяцев. Сегодня ситуация в Италии совсем другая. В стране двадцать семь процентов безработицы среди молодых людей с образованием. И это ужасно как для них, так и для их родителей, которые идут на определенные жертвы, чтобы дети учились. Все упирается в систему. Студенты, по-моему, прекрасны. Они полны жизни. Они очень современны. Но я уверен, что у них больше трудностей, чем было у меня, когда я учился. И конечно, все упирается в деньги, нет воспитания верности и привязанности, лояльности к компании. Среди студентов, которых мы нанимаем, мы находим потрясающих молодых людей. Но не всегда у них есть возможности, многие позиции для них закрыты. Наверняка такая проблема существует и в других странах...

Познер: В Америке, где я прожил много лет, люди старшего поколения прежде говорили: наши дети будут жить лучше, чем живем мы. Они верили, что все идет только к лучшему. Сейчас ситуация изменилась, многие говорят: у моих детей не будет таких возможностей, какие были у меня, жизнь их не будет такой, как у меня. И это очень странно слышать в Америке, которая всегда отличалась оптимизмом. Что вы об этом думаете?

Феррагамо: Мы не сильно отличаемся. На самом деле везде царит ужасная бюрократия. Раньше такому человеку, как мой отец, решившему начать бизнес, требовалось желание и, может быть, бухгалтер. Сегодня так не получается. Столько правил и ограничений... Некоторые разумные. Но это охладит пыл любого, кто стремится начать свое дело. А иногда человек творческий, человек, у которого есть идея, не очень организован — часто бывает либо одно, либо другое. И то, что происходит сегодня, не помогает ему. Мне кажется, наша законодательная власть и правительство должны больше думать в этом направлении и как-то компенсировать или искать какие-то способы облегчить жизнь таким людям.

Познер: Совсем недавно вы отмечали стопятидесятилетие объединения Италии...

Феррагамо: Да.

Познер: Для вас лично это значимая дата?

Феррагамо: В этом году, мне кажется, это сильнее чувствуется, чем в прошлом. Может быть, самоощущение Италии стало более зрелым. Мы ведь совсем недавно вместе. Сто пятьдесят лет — это ничто. Но в этом году во всех отношениях мы прочувствовали это более, чем когда-либо.

Познер: Глобализация — тема, о которой много говорят и спорят. В каком количестве вы, Феррагамо, производите туфли, сумки, что бы то ни было, в Китае?

Феррагамо: В нулевом. Мы на сто процентов все производим в Италии и продаем свою продукцию в девяноста странах мира. У нас есть реализация в Китае, но мы не делаем там ничего.

Познер: Так вы чисто итальянские ремесленники?

Феррагамо: Итальянские ремесленники. То, что все производится в Италии, — это второй по значению фактор для бренда после имени Феррагамо. Мы считаем это очень важным. Кроме того, мы начинали в Италии, у нас итальянские сотрудники. В нашей компании три тысячи человек, но, кроме того, есть и мануфактуры, которые изготавливают вещи эксклюзивно для нас на протяжении уже пятидесяти лет, и мы не можем их подвести, они этого не заслуживают, они сражаются по цене, по качеству, по креативности — мы никогда не изменили бы им.

Познер: Давайте в конце интервью вернемся к искусству изготовления обуви. Расскажите об этом хотя бы чуть-чуть.

Феррагамо: Существует несколько способов делать ботинок. Есть детрамецца...

Познер: Это что значит?

Феррагамо: Это ботинок... Знаете, есть колодка, и сверху на нее вы накладываете кожу — это называется «ВАМП». Потом переворачиваете — там стелька. Кожа, которая соединяется под стелькой, прошита по кругу, а еще есть второй шов, он проходит через подошву, держит стельку, подошву и «ВАМП» вместе. Поэтому в мужских ботинках форма вот такая... смотрите... (Снимает ботинок.) Видите?

Познер: Вы носите только обувь «Феррагамо»?

Феррагамо: Да, иначе мама меня уволит... Смотрите. Вот тут сквозной шов, и еще один здесь... (Поднимает стельку.) Его вы можете тут увидеть... (Разворачивает ботинок.) Видите?

Познер: Да, да.

Феррагамо: Вот так вот...

Познер: А сколько времени требуется на изготовление пары обуви?

Феррагамо: Я бы сказал... (Задумался.) Поскольку их держат руками, хотя шьет машина, то изготовление займет около двенадцати часов.

Познер: А во времена вашего отца они полностью делались вручную?

Феррагамо: Да, все, полностью... На самом деле раньше их делали вот в этой комнате. Когда я был ребенком и ходил учиться шить обувь, это происходило в той комнате с фресками. Я входил туда, когда забивали туфли уже на финальном этапе изготовления, это был прекрасный звук, особенно мне запомнившийся.

Познер: Я хочу купить пару ботинок сегодня. Мне нужна пара черных, легких, летних туфель. Куда мне идти?

Феррагамо (удивленно пожимая плечами): В «Феррагамо», конечно!

Познер: Да, но куда?

Феррагамо: Вниз, сейчас, со мной!

Познер: Нет, я не хочу вас задерживать.

Феррагамо: Мне до трех нечего делать, я люблю спускаться туда, это доставляет мне удовольствие. Правда. Я должен убедиться, что вы не пойдете к «Gucci».

Познер: Я не пойду, даю слово.

Феррагамо: Я шучу.

Познер: Хотя они очень хорошие...

Феррагамо: Очень хорошие. Я вас провожу.

Познер: Сколько пар обуви производит «Феррагамо» в год?

Феррагамо: Цифра довольно быстро растет. Мужских мы изготовляем шесть тысяч пар в день.

Познер: В день?

Феррагамо: В день! И они разъезжаются по девяноста странам мира! А женских больше, я сейчас не буду гадать, думаю, что-то около девяти или десяти тысяч пар обуви ежедневно.

ЧАСТЬ III

ДНЕВНИК[10]

Читатель, конечно, понимает, что дневник ведется не для широкого чтения; в нем многое зашифровано или упомянуто вскользь, поскольку сам автор не нуждается в разъяснениях. Когда я вел этот дневник, то совершенно не думал, что он может войти в состав книги - но вошел. Поэтому прошу у Вас, читателя, извинения за то, что наверняка, читая его, Вы споткнетесь о какие-то непонятные для Вас вещи. Поверьте: они не имеют большого значения, так что Вы ничего не потеряете. Зато дневник предстанет перед Вашими глазами именно таким, какой он есть на самом деле безо всяких подправок, подделок и подработок.

Роскошный сад загородного поместья семьи Строцци

Самолет в Рим вылетает в 5:50 утра. Надо встать в полчетвертого. Плохо соображаю. По ошибке упаковал бумажник в ручную кладь. Там деньги, так что уже в такси, вспомнив об этом, раскладываю чемоданчик на заднем сиденье. Едем. В это время Москва совершенно пустая, но на подъезде к площади Маяковского целое скопище машин.

— Что это, авария? — интересуюсь.

— Нет, — отвечает таксист, пухленькая хорошенькая женщина лет тридцати пяти. — Здесь много клубов и бордели, водители собираются, чтобы взять клиента.

Минут пять едем молча. Потом она спрашивает:

— Скажите как знающий человек — революция у нас будет?

— ?

— Да очень многие возмущаются.

— Вряд ли, — отвечаю.

Доехали до Шереметьева-2 очень быстро. И молча. Дальше все как всегда: регистрация, ритуал досмотра со снятием пояса и туфель, бутерброды с салями в салоне для пассажиров бизнес-класса.

В самолете авиалинии «Alitalia» всего четыре места бизнес-класса, которые абсолютно ничем не отличаются от мест класса экономического, если не считать одного: ряд в бизнес-классе состоит из двух, а в эконом-классе — из трех кресел, правда, того же вида и размера. Они жесткие и некомфортабельные. Что не помешало мне заснуть крепчайшим сном и проснуться, когда мы уже подлетали к Риму. Вместе со мной летят Аня Колесникова, Влад Черняев, Евгений Переяславцев, Стас Толстиков и Володя Кононыхин. Словом, та же команда, что была во Франции два года тому назад.

В римском аэропорту присоединилась к нам Лена Чебакова. Она живет в Италии уже одиннадцать лет, муж — итальянец. Прилетела с Сицилии. Маленькая хрупкая блондинка. По первому впечатлению — толковая и приятная.

Садимся в прокатный мини-вэн «Ситроен» (девять человек). За рулем Аня. Едем к Дзеффирелли. По пути заезжаем в кафе и завтракаем: панини, кофе и так далее.

Дзеффирелли живет на окраине Рима. Здесь особняки, парки, сады, полно зелени, никакого шума, вокруг так называемая экологическая зона.

Встречает нас его сын Пиппо. (Откуда сын? Маэстро ведь придерживается другой сексуальной ориентации.)

Внешне дом как дом, внутри — невероятная красота: полы из разноцветного мрамора, кругом античные статуэтки и статуи, обломки Древнего Рима. Декор отличается безупречным и тончайшим вкусом, все утопает в цветах. На рояле, столах и прочих поверхностях — фото друзей в неимоверном количестве, от Нуриева до Каллас. На мольберте стоит картина кисти Веласкеса. На стене — потрясающая копия Джоконды.

Вкатывают Дзеффирелли на инвалидном кресле. Двенадцатого февраля ему исполнилось восемьдесят восемь. И сейчас он все еще элегантен (в шейном платке) и хорош собой. Сразу обратил внимание на Аню. Светлые (может быть, красит?) на пробор волосы, голубые глаза. В молодости был писаным красавцем.

Говорим по-английски. Речь чуть замедленная, голос глуховатый. А впечатление ошеломляющее: говоришь с живой легендой.

Запомнить: без бедности трудно стать творцом. Постоянные триумфы скучны, надо рисковать. Критики — это неудавшиеся творцы, ими правит зависть. Футбол придумали флорентийцы, равно как и оперу (когда догадались, что древние греки пели свои пьесы, а не говорили). Обязательно надо увидеть домский собор работы Брунеллески, забраться наверх. Съесть крестьянский суп из хлеба и бобов.

Поехали в Ареццо. За рулем снова Аня. Ехали часа полтора. Тут будем ночевать, чтобы завтра отправиться к Тонино Гуэрра в Пеннабилли.

Остановились в гостинице «Грацциела Патио Хотел», это здание бывшего палаццо. Номер достался совершенно замечательный — потолок (высотой не меньше семи метров) дубовый, второй этаж в виде балкона. Кровать, ванна — блеск!

Погуляли по городу. Чудо. Абсолютное Средневековье. Церковь Святого Франциска XII–XIV веков. На стенах — остатки потрясающих фресок. На улицах множество antichita (антикварных лавок), можно купить картину XV века (за миллион евро). Главная площадь. Ужинали в «Il Cantanucci». Очень вкусно и очень просто. Конец первого дня. Первый блин получился совсем не комом.

8:30 утра. Едем в Пеннабилли. Холодно. По мере того как поднимаемся в горы, начинает идти снег. Аня за рулем. Дорога хорошая, но сплошной серпантин. Доехали за два часа. Совсем маленький и, как водится, древний горо-

Я стою у столика, за которым работал Макиавелли... и явно растерян

док. Не можем найти дом Гуэрры. Приходит девушка от Лоры (жены Гуэрры), показывает дорогу. Идем в здание под вывеской «Мир Гуэрры». Входим. Впечатление: взрыв фантазии — картины, скульптуры, резьба по дереву, лантерны, изразцы, предметы мебели — все дело его рук. Кроме того, рисунки Феллини,

Антониони, Параджанова, множество фотографий (Тарковский). Ходим, смотрим, снимаем. Вбегает Лора с криком: «Здравствуйте, мои дорогие!» Рыжая, синеглазая, ей за восемьдесят, но видно, какой она была красавицей. Темперамент несусветный. Все показывает, говорит, говорит, говорит. Страшно переживает, что пошел снег, что все ее бутоны покрыты снегом.

— Сейчас заплачу!

Нет, не плачет.

Повела нас в дом:

— У меня там сорок кошек. И золотой ретривер. Его фамилия — Микеланджело, его нам щенком подарил Антониони. Он старый, ему двенадцать лет. Очень кашляет, простудился. Завтра вызову ветеринара.

Входим. Описать дом невозможно. Он битком набит вещами, сделанными руками Гуэрры, да и не только его. Экскурсия. Наконец входим в комнату, где ждет нас мастер. Черные волосы, черные усы, черные сверкающие глаза. Роста небольшого. Голос ясен и громок. Темперамент — ураган.

— Как снимать интервью? Я же понимаю в режиссуре. Камера панорамирует, идет, не видно ни вас, ни меня. Вы спрашиваете... — (Типично итальянская жестикуляция, которая в данном случае означает: «мол, не важно, о чем».) — «Вы давно убили свою жену?»

Мастерская Тонино Гуэрры

Я отвечаю — нас по-прежнему не видно: «Позавчера вечером». Вы: «А почему вы не в тюрьме?» Я (на лице тень чуть хулиганской улыбки: — «Потому что я близкий родственник Берлускони». Тут камера показывает вас, и вы говорите: «Странно, очень странно...» Все, понимаете, зритель уже не оторвется...

Время уже 12:30, а Гуэрра должен обедать в час (Лора неумолима). Как быть? Мы едем с ней в местный ресторан (Гуэрра обедает дома). Машину несет. Как будем добираться до Рима?

Ресторан совершенно не итальянский. Скорее, французский. Шеф — творец. Еда потрясающая*. После едем назад (за рулем Влад). Ехать дико трудно — снега навалило сантиметров десять. Добрались не без труда. Пришли в дом. Беру интервью. Лора переводит. Иногда вставляет свое. Ругаются, как дети. Он ей: «Интервью берут у меня, а не у тебя».

Разговор бесконечно интересный. Не успел задать и половины вопросов. Он в 16:00 должен уйти в «Мир Гуэрры», куда придут друзья. Покажут им документальный фильм о... Гуэрре.

Куда обязательно поехать: в Равелло.

Чудный мужик. Никак не могу взять в голову, что он работал с Феллини, Антониони, Де Сика, Тарковским, Рози...

---

* Это была самая изысканная еда из всего, что я перепробовал за два с половиной месяца поездки по Италии.

Подарил фото. Похвалил.

Ему будет девяносто один год. Не верится.

о—о

Едем в Рим по другой дороге, без серпантина, но в два раза длиннее. Вместо двухсот километров проехали триста восемьдесят. Добрались до Рима в половине первого ночи.

Я в гостинице «Hassler».

Короткий разговор с Аней о ближайших планах.

Лена нам очень понравилась.

Что ж, начало положено.

P.S. Гвидо из Ареццо (Guido d'Arezzo) изобрел современную нотопись!

о—о

На следующий день позвонил Гуэрра, сказал, что я «великий интервьюер», но оператор у меня никуда не годится (поскольку, добавляю от себя, не послушался совета-указания Гуэрры о том, как ему надо снимать).

Вылетаю из Москвы, чтобы пятнадцатого и шестнадцатого взять во Флоренции интервью у семей Строцци и Антинори. Приехал в

Шереметьево-2 без приключений, сел в бизнес-класс «Alitalia». Хуже нет авиалинии во всей Европе. Кресла маленькие, неудобные, ничего не дают почитать, никакого тебе кино. Тьфу! А деньги берут как большие. Прилетели в Рим с ребятами в восьмом часу вечера. Надо сказать, что аэропорт Фьюмичино отличается такой же безалаберностью и неудобством, как и «Alitalia».

Зарегистрировался на рейс во Флоренцию. Минут за тридцать до посадки присоединилась к нам прилетевшая из Катании Лена.

Самолет набит битком (никакого рукава, только автобус). Некуда поставить ручную кладь. Как сельди в бочке. Слава богу, лететь не очень долго — минут сорок. Аэропорт во Флоренции более чем провинциальный.

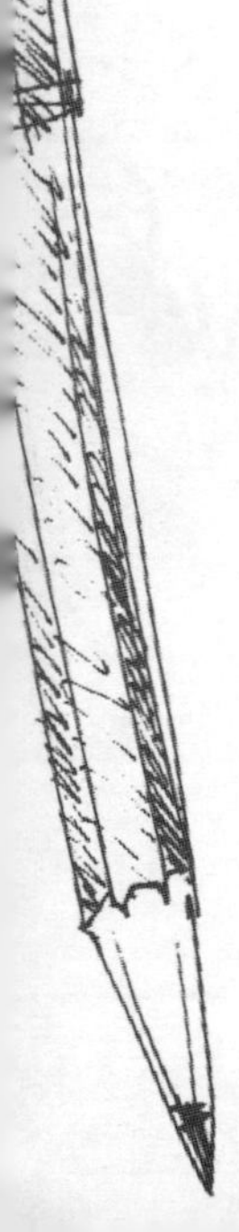

Нас задерживает итальянская таможня: где документ, гарантирующий, что вы свою аппаратуру вывезете обратно в Москву? Бред. Этак минут двадцать. Наконец отпустили. Машины напрокат — прямо на улице. Льет проливной дождь. Перед нами две девицы престранного вида («Попугаи», — говорит Влад) бесконечно долго оформляют документы на машину. Потом наша очередь. Тоже очень долго. Берем две машины вместо одной большой (узнал, что мне большую не дали бы, только до семидесяти пяти лет — ах-ах!).

Поехали в город. Дождь лупит. Тьма кромеш-

ная. Впереди — Кононыхин со своим русским GPS, сзади Влад и я с местным. «Читают» они по-разному. Плутаем по узким улочкам средневековой Флоренции. Наконец нашли мою гостиницу «Hotel Helvetia & Bristol». Номер отличный. Одно старинное окно смотрит во двор-колодец. Ложусь спать. Что будет завтра, как сложится?

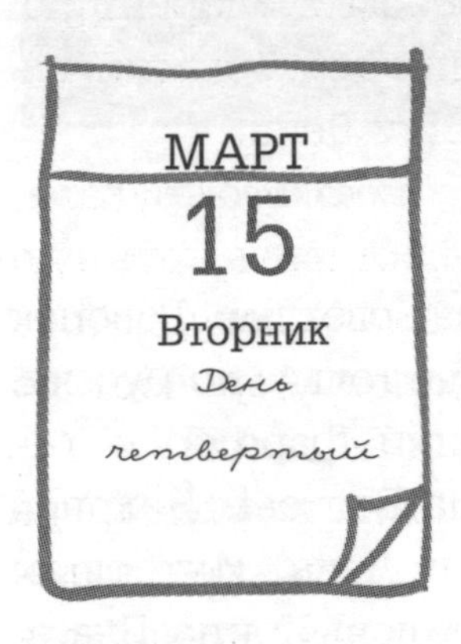

Выехали без двадцати десять, прибыли на место — Palazzo Guicciardini — в условленное время, а потом начались мытарства с парковкой. У входя в палаццо нас ждала княжна Наталья Строцци, старшая дочь Ирины и Джироламо, довольно миловидная и несколько экзальтированная женщина лет тридцати. Прекрасно говорит по-русски. Стояли-стояли, потом подошли Женя и Стас с частью аппаратуры, снова постояли, наконец решили подняться. Ждала нас княгиня Ирина Строцци. На вид ей что-то около семидесяти. Явно со следами былой красоты. Одета изысканно-просто: шелк местного производства, бледно-желтая юбка и жакет с вышивкой. Волосы зачесаны назад, на

Князь Джакомо Строцци со своей княгиней

затылке узел. Шатенка. Глаза светлые. Говорит по-русски превосходно — и не только по-русски. Чай-кофе-печенье, тончайший фарфор и так далее. Со мной Иван и Наташа. Болтаем. Наконец появляются Влад, Володя и Лена. Интервью: княгиня Ирина (старшая) и ее дочь Ирина. Блеск. Главное достоинство: абсолютная естественность, простота. Смотрят в глаза. Княгиня Ирина could charm a bird off a tree.

Описать палаццо крайне трудно. Это надо увидеть. Одно — библиотека и стол, за которым работал молодой Макиавелли, — как сказал бы Хрюн Моржов, внушаеть.

Запомнить: почему палаццо не было взорвано (дружба немецкого коменданта со Строцци).

Поехали в поместье Кузано — километров в сорока, рядом с Сан-Джиминьяно. Башня постройки 994 года.

Интервью с Джироламо Строцци и Натальей. Опять: обезоруживающая простота. И откровенность. Рассказ о типично флорентийской мести: портреты Медичи на стенах в столовой. Подвалы.

День явно удался. Завтра — Пьеро Антинори.

Вечером был у моих старинных друзей Лизы и Стефано. Какие прелестные люди!

С княгиней Ириной Строцци

Я не мог удержаться от того, чтобы сфотографировать это чудо-дерево в саду у Строцци

Еще ночью (перед сном) вспомнил, что где-то забыл футляр от компьютера и вложенные в него бумаги. Позвонил Наталье в Кузано — она нашла футляр в машине. Договорились встретиться без пяти десять на Piazza della Revoluzione.

Утром предупредил Лену. Договорились, что Влад, Женя и Стас поедут в 8:30, а мы в 10:00. Встретился с Натальей, все получил. Поехали.

Погода отвратительная. Лупит дождь, холодно. Доехали за час. Загородная вилла дома маркиза Антинори. Занимается нами некая Виктория. Ребята говорят, что их очень плохо принимали. Со мной она шелковая. Но все время суетится по поводу «картинки». Хозяева опоздали почти на час. Несколько нервно: мне надо выехать самое позднее в 2:30, чтобы успеть на самолет.

Их двое: Пьеро Антинори, 1938 года рождения, моложав, одет по моде и со вкусом, и его старшая дочь Альбиера, вице-президент компании. Чуть-чуть говорим о вине, но гораздо интереснее об Италии (завтра исполняется 150 лет образования Итальянского государства) и особенно о молодежи, о ее проблемах. Они считают, что следующее поколение будет жить хуже, чем жили и живут они, — и материально, и морально. О еде: снова — самое простое и есть самое вкусное.

Обед: помидорное пюре, замешанное на хлебе. Овощи, мясо, оливковое масло и вино. Вполне себе вино. В общем, несмотря на неприятное начало, хорошее интервью и приятные люди.

Отправился в аэропорт, прибыл сильно рано. Сел в автобус и поехал на самолет, оставив около кресла, на котором сидел в зале ожидания, сумку с двумя фотоаппаратами, объективами и так далее. Вспомнил, когда вышел из автобуса. Еле успели привезти. Потом, уже в Амстердаме, забыл компьютер, когда проходил досмотр, — какой-то мужик мне напомнил. Что это — старость?

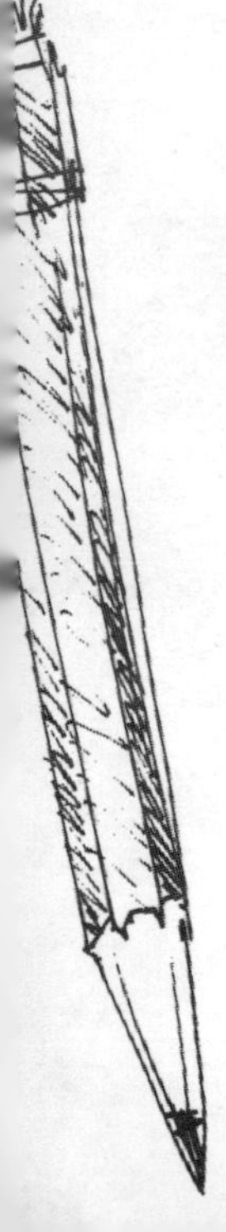

Очередная поездка «за интервью». Предстоит побывать в Милане, Венеции, Триесте и Риме.

Самолет из Москвы в 9:55. По дороге в Шереметьево-2 сплю. Приехал сильно рано, ничего интересного. В самолете встретил Ваню Урганта. Он летит со мной в Милан, но только для интервью с Дольче и Габбана, на следующий день возвращается в Москву — такой график. Вообще-то, жаль. Он будет появляться совсем эпизодически в интервью, что в принципе плохо. Но ничего не поделаешь.

Прилетели без приключений, нас встретила Лена, сели в такси и поехали. Мы с Ваней проживаем в отеле «Principe di Savoia». Думаю, что это лучшая гостиница Милана — был здесь один раз, давно, в старой жизни. Помню, мы с Катей облазили собор, который, несмотря на всю свою эклектичность, производит сильное впечатление. Много тогда фотографировал. Потом пошли на шопинг — получилась целая гора фирменных пакетов. Тоже сфотографировал. Затем побывали у Леонардо на «Тайной вечере», которую незадолго до этого восстановили японцы (кажется).

Еще был здесь с политобозревателем Дружиным, когда шли переговоры о каком-то советско-итальянском телепроекте в области международных отношений. Ничего тогда из этого не получилось. Но я накупил для нашей квартиры телефонных аппаратов (итальянский дизайн!). Из этого тоже ничего не получилось — не те шнуры, не те вилки. Ладно, это все глубокое прошлое.

Из гостиницы поехали к Дольче и Габбане, в их контору. Громадный дом с кучей охраны. Украшений много, и они очень своеобразны: одна комната вся «леопардовая», другая — в красном бархате. Богато, конечно. Появились Стефано Габбана и Доменико Дольче. Первый довольно высокого роста, стройный, утонченный, лицо красивое, чуть капризно-слащавое, понятно, что может быть очень неприятным, взбалмошным. Дольче — невысокого роста, лысый, носит очки, модно небритый, лицо умное, хотя и некрасивое. Если Габбана одет очень стильно (но просто), то Дольче — в черном тренировочном костюме и кедах. Три лабрадора: один черный, два бежевых.

Само интервью прошло вполне живо. Любопытно: Габбана прямо с жаром утверждал, что он — итальянец! Это в отличие от тех, кто говорит о себе «флорентиец», «сицилианец» и так далее. Больше — и умнее — говорил Дольче. Потом вернулись в гостиницу, и я поехал в главный магазин «D&G» на Via della Spiga, 26. Платья нужного размера не было, зато было пальто. Купил. Потом вернулся в номер.

Вечером отправились с Ваней ужинать в «Да Джакомо», который смотрит прямо на собор. Якобы один из лучших ресторанов Милана. По мне — так себе. Взяли по салату из шпината, я съел нечто вроде шницеля по-милански, а Ваня — что-то из рыбы (он постится).

Еще заказали бутылку «Rosso di Montalcino» за 57 евро. Заплатили по 100 евро. Вернулись в гостиницу, и я завалился спать. Встал в 7:00, позанимался физкультурой. Пока — все.

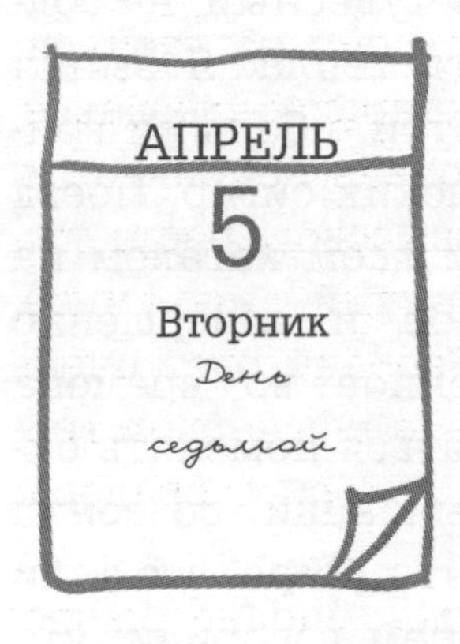

Позавтракали (очень вкусно) довольно поздно. Потом Ваня улетел в Москву, а я поехал на интервью с Джино Страда. Он интересен мне не только как знаменитый врач, с которым я могу поговорить о системе здравоохраненрия в Италии, но и как человек, который возглавляет медицинскую ассоциацию, похожую на «Врачи без границ». Собирались сделать это у него дома, но там прорвало трубу. Встретились с ним в штаб-квартире «Emergency». Впечатление серьезной, увлеченной своей работой группы людей. Сам Страда очень хорош, ему должно быть чуть за шестьдесят. Лицо совершенно «итальянское» по чертам, заметны следы страданий и тяжелых испытаний. Редко улыбается, смотрит прямо в глаза. Ощущение, будто он постоянно думает об одном — самом главном. Интервью получилось.

Потом должны были взять интервью у знаменитой итальянской оперной певицы, которая больше не поет, но преподает в «Ла Скала». А она исчезла. Типичное итальянское разъебайство.

Пошли пообедали. День чудесный, на солнце хорошо — за двадцать тепла. Я выпил кружку пива и съел спагетти с белыми грибами. Купил пачку тосканских сигар. Поезд в Венецию в 20:00, пошли всем кагалом на вокзал (здание гигантское и совершенно уродливое, явно построенное во времена Муссолини), чтобы попытаться поменять билеты. Пока наши дамы выясняли, позвонил Куснирович и сообщил, что Этро все-таки согласен на интервью (утром говорили, что он вообще не дает интервью, дают только его дети). Время — четвертый час. Вернулись Аня с Леной и сказали, что билеты не меняют, если что, надо купить новые (?!). Повезло. Поехали к Этро, который принял нас в своей громадной мастерской. Кайф! Самому на вид лет семьдесят, лысый с седой щетинкой, в очках, глаза очень добрые, совершенно прост в общении. К нему присоединился главный стилист, его сын Кин. Хорош до невозможности: пышная шевелюра, собранная в косичку, борода и усы, белейшие зубы, сверкающие черные глаза — от него так и брызжет энергией, радостью.

Интервью потрясающее, совершенно неожиданные слова о том, что ныне стыдно быть итальянцем. Дольче и Габбана отдыхают.

о—о

Закончили в полшестого, отправились на вокзал. Приехали, и выяснилось, что Влад оставил у Этро свою сумочку — поехал за ней назад с Леной.

На вокзале нет ни одной тележки. Нет и носильщиков, если не считать парочки совершенно подозрительных субъектов явно «левого» толка.

Сели в поезд. Ехать 2 часа 35 минут. Я в первом классе. Предложили полстакана воды и какие-то сушки. Все. Сиденье не откидывается, нет розеток — до французского варианта (TGV) очень далеко.

Прибыли минута в минуту на вокзал Санта-Лючия, дошли до водного такси (по 10 евро с рыла) и поплыли по гостиницам. Я — в «Danieli». В первый раз. Красота. Заказал в баре двойной «Lagavulin», выпил и пошел на Сан-Марко. Волшебство! Почти пусто. Три музыканта — флейтист, басист и пианист — играют джаз. Заказал себе еще виски. Заиграли «I'm in heaven». Так и есть — I'm in heaven. Закончили играть под бой часов: полночь. Передать невозможно. Сильно поддатый пошел спать.

P.S.: Два впечатления от Милана : удивительная чистота города и абсолютное отсутствие собственного лица.

С утра — встреча на рынке Риальто (Mercato di Rialto). Минут двадцать ходьбы среди красот. Первое жанровое интервью с продавцом рыбы. Продает только рыбу из лагуны и из Адриатики. Его товар стоит в два-три раза дороже остальных.

Выдающемуся астроному Маргерите Хак за девяносто, но она необыкновенно красива

Борьба за сохранение оптового рынка, без которого этот, в частности, погибнет. Продавец колоритный и симпатичный. Потом встреча с архивариусом. Тоже очень симпатичный человек. Замечательное помещение бывшей корабельной мастерской. Обед. Очень вкусно. Спор из-за того, должны ли мы платить из своих суточных за итальянцев. После обеда — посещение мастера по изготовлению forcole (уключин). Просто красота. Симпатичный человек. Пожалуй, все. Завтра едем в Триест к знаменитому астроному Маргерите Хак.

Едем в Триест. Поезд в 7:30, так что встать пришлось около 6:00 с учетом того, что до вокзала на водном такси плыть минут двадцать. С Леной не поняли друг друга относительно места встречи. Она старается и, судя по всему, человек хороший, но пока как линейный продюсер слабовата.

Сели в поезд. Вагоны только второго класса. Пожалуй, чуть удобнее наших электричек. Туалеты либо не работают, либо воняют. До Триеста — два часа. Доехали, сели в такси, отправились к дому Маргериты Хак. Двухэтажный серый особняк с садиком стоит на пригорке. Сама открыла дверь: седая, согбенная от возраста (восемьдесят девять), с необыкновенно притягательной улыбкой и красивым, выразительным лицом.

Пока выставляемся, муж довольно громко бурчит, что все это ему надоело. Хак не обращает никакого внимания. Кругом на полках книги — тысячи. Всюду — порядок, как и у нее в голове. Отвечает четко, подробно, совершенно не сбиваясь. Выясняется: с рождения вегетарианка. Интервью очень интересное.

После этого заехали в бар, выпили кофе с бутербродом и двинулись обратно в Венецию. В 18:00 Адриана Вианелла, наша чичероне по Венеции, повела нас посмотреть на то, как ее муж спускает на воду barchetta da fresca (прогулочную лодку), которая отличается от гондолы размером и цветом (вспомнить, почему гондолы черного цвета, — чума). Очень интересное зрелище. Потом они с мужем покатали меня, а ребята снимали нас. У меня был вид турецкого паши или владельца нескольких нефтяных скважин.

После всего этого Адриана пошла с нами, вернее, привела нас в ресторан, где выбрала нам столик (со Спириным). Вкуснота! Все-таки самое вкусное в итальянской кухне — простая еда.

Завтра едем к стеклодувам, а потом в Рим.

Позже поругал Аню за то, что а) не слушает голосовых сообщений по телефону, б) все время оправдывается тем, что «подумала» или «не подумала» и в) склонна подвирать, оправдываясь.

К 10:30 — на остров Мурано, чтобы встретиться с господином Моретти, хозяином завода современного стекла. Моретти: невысокого роста, лет шестидесяти, в очках, прелестный человек, художник, возглавляет семейное дело, всю ночь не спал, волновался перед интервью. Рассказывает о своем деле сочно и влюбленно. Провел по всем стадиям производства ваз новой коллекции — пятнадцать видов, каждой по двести двадцать две штуки с клеймом, номером и подписью. Рабочие-стеклодувы — настоящие художники, работают как часы. Дали мне выдуть... нечто. Аплодисменты. Конечно чудо. Оказывается, надо учиться минимум пятнадцать лет, чтобы стать мастером. Стеклодувы, рассказал Моретти, живут очень долго — это для меня совершенно неожиданно.

Этому искусству участся 20 лет, настоящим мастером становятся лет через 30–35

После этого пошли к «традиционному» стеклодуву: «Signoretta». Делают люстры — и опять дело семейное. Говорят, они в своем деле номер один на Мурано. Красота несусветная. Отец семейства — Джанни, с копной седых волос, суровый, типично итальянское лицо, — показал нам, как делается цветок. Есть на что посмотреть.

o—o

Кононыхин порвал, кажется, связку в колене, еле ходит.

Завершили все на Мурано к 15:30, поехали в Венецию. Поезд на Рим только в 19:45. От скуки ожидания чуть не сдох. Решил целиком кроссворд в «U.S.A. Today».

Поездка в Рим без приключений. Поезд опять опоздал. Муссолини был бы недоволен.

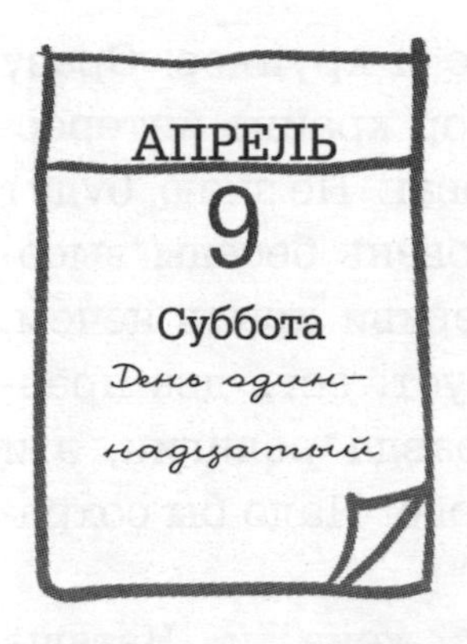

Встреча с кардиналом Равази назначена на 11:00. Поехал на такси. В этой части Рима находится Ватикан. Народу — тьма. Полно полиции. Сплошные свистки. Из-за строительных работ очень затруднен переход. Ищу дом на Виа делла Кончилиационе (улица Примирения), 5. Там ждет меня Равази не в кумачовой мантии и кардинальской шапочке, а в черном. На груди на цепочке — большой золотой крест. Ему под семьдесят. Роста среднего, плотного те-

В мастерской-музее, в котором хранятся старинные части гондол

лосложения, лицо круглое и крупное. Сразу видно, что умный. Разговор крайне интересный. Образован и эрудирован. Не знаю, будут ли слушать, уж очень уровень беседы высокий. Но что ни говори, церкви крыть нечем, хотя красиво аргументирует: есть две правды — правда науки и правда религии, эти правды не сходятся. Здорово! Надо бы сохранить связь.

Прилетели Надя, моя жена и Наташа (Ургант). Дальше обед, шопинг и так далее.

Свободный день. Поехали с Букаловыми в летнюю резиденцию римского папы Castel Gondolfo. Сначала в городок Неми. Городок клубники, земляники и колбас («яйца осла», «яйца дедушки»). Прелесть. Туристов нет — одни итальянцы. Потом обед. Запомнить: часы на башне папского летнего дворца, всего шесть цифр.

Потом вернулись в гостиницу. Ужинали в ресторане рядом с Виа Венета. Биток. Все-таки еда так себе.

Надя улетела в Лондон. Мы поехали в Барбарано Романо к Марко Мюллеру — директору Венецианского кинофестиваля. Городок прелестный: относится к середине XV века, окружен крепостной стеной и глубокими пропастями. Нас встретил сам Мюллер в черном китайском кителе. Лысоват, седоват, за стеклами очков живые голубые глаза. Пошли покупать нам еду и вино. Интервью. Очень интересное. Потом закусывали. Приятный человек.

o—o

Феноменальное впечатление от посещения крестьянской семьи — пожилые муж с женой. С ней готовили похлебку, а с ним говорили о политике. Он фашист («умеренный»). Разговор о порядке, о машинах, припаркованных на площади, где парковка запрещена. Чем был хорош Муссолини. Он и коммунист — тоже «умеренный». Потрясающие поющие старики. Это незабываемо. Лица какие, лица!

o—o

Добирались до Рима два с половиной часа, после чего я поехал к Джулиану. Совсем ста-

Местечко Барбарано Романо.
Едим суп собственного приготовления,
а хозяин дома
дегустирует собственное вино

Вот они, типичные итальянские крестьянские лица

рый: в шерстяной шапочке, в халате, ноги перевязаны бандажами, ходит с помощью «ходилки». А голова и память — как у тридцатилетнего. Запомнить: he had a crush on Jaqueline, Steve — throat cancer, Steve's son Adam. Анна-Мария была какая-то молчаливая и печальная. Когда Джулиан пошел искать телефонный номер Роберто Вакка, она спросила:

— Ну, как ты его находишь?

Вызвала мне такси, но оно так и не пришло. Спасибо хозяину магазинчика, который вызвал мне другое.

Вечером ужинал с Ирмой— не хватило духу сказать ей, что она не будет участвовать. Придется написать.

АПРЕЛЬ
12
Вторник
День четырнадцатый

День совершенно пустой. Моника Белуччи не приедет в Рим — заболел ребенок. Морока с этими звездами. К 15:00 поеду за пальто, потом к Букаловым.

Вылетаем во Флоренцию, чтобы взять интервью у Феррагамо, затем в Форте дей Марми, где нас ждет Бочелли, затем в Париж.

В Париже должны были взять интервью у Микеле Плачидо и Моники Белуччи. Плачидо отказался вчера из-за занятости. С Белуччи все было в подвешенном состоянии. Вроде все шло хорошо, потом нам сообщили, что у нее съемка для русского «Татлера», поэтому интервью отменяется, затем опять позвонили и сказали, что интервью все-таки будет. Посмотрим. Но вообще отличие французов от итальянцев заключается в следующем: если французы говорят «нет» — значит «нет», а если «да» — то это «да». У итальянцев «да» не означает ровно ничего.

Итак: встал в 4:30 утра, выехал в 5:00, самолет в 7:10. Все время клонит в сон. Полетел в Париж, поскольку прямого рейса из Москвы во Флоренцию нет. Долетел без приключений в терминал 2E, откуда надо было поехать на navetta (челнок) в терминал 2G. Самолет небольшой, довольно тесно, ручную кладь надо отдавать (и получать) у трапа. Долетели. Во Флоренции плюс тридцать. Встретила меня Лена. Минут через пятнадцать появились Влад, Стас, Женя, Володя. Поехали на двух такси. Я — в гостиницу «Helvetia and Bristol Hotel» — очень хорошая, с настроением. Через час — интервью с Феррагамо.

В 12:45 я в палаццо, которое принадлежит Феррагамо. Нас отлично принимают, скоро появляется сам: элегантен, чуть выше меня ростом (сто восемьдесят четыре сантиметра?), лет пятидесяти. Говорим по-английски. Очень интересное интервью — не только о создателе империи, Сальваторе Феррагамо, но и о том, как делается обувь, о молодежи, о положении в Италии. Любопытно: ничего не производят в Китае.

Говорю, что хочу купить пару туфель, — сам провожает меня в магазин, поручает меня продавцу. Туфли мне дарят, что дико неудобно.

Возвращаюсь в гостиницу (есть кондишн!), принимаю душ, беру камеру, иду снимать.

Потом перекусываю на Пьяцца дель Пополо, потом отдыхаю, затем навещаю Лизу и Стефано и обратно — спать.

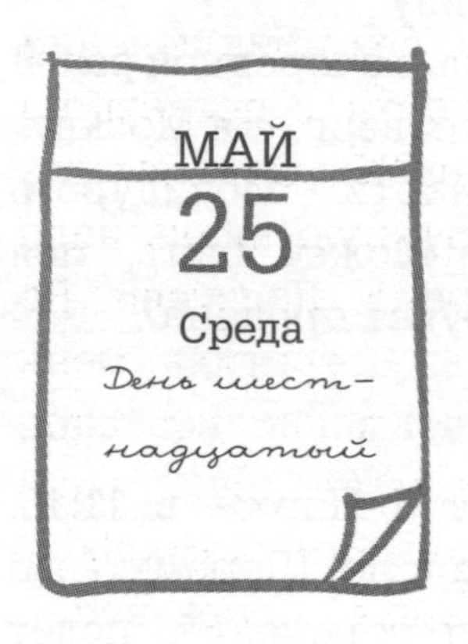

Встаю в 6:00, иду гулять по пустынной Флоренции. Вот красота! Фотографирую. Возвращаюсь, завтракаю. В 8:00 подъезжает минибус, едем в Форте. Бочелли ждет нас к 11:00, мы приезжаем в 9:40. Жара, но вблизи моря гораздо легче воспринимается. Ждем приезда девицы, которая впустит нас, минут двадцать. Потом она появляется. Особняк Бочелли стоит на первой линии. Три этажа. На втором — гигантская зала-студия. Дом обставлен симпатично. На стенах много его фото плюс платиновые и золотые диски. Помощница просит меня не затрагивать тему его слепоты, и я соглашаюсь.

Появляется Бочелли — красивый, крупный, пятьдесят два года. Очень интересный собеседник — явно много передумал, много читал. С хорошим чувством юмора: «Лучше всего учить иностранные языки с новыми девушками. Но для меня этот вариант в прошлом».

Интересная и симпатичная жена. Заказывает нам обед в ресторане «La Barca».

Прогуливаемся километра полтора. Все очень вкусно. Потом возвращаемся, ждем, затем на двух такси едем в Пизу.

Белуччи, сука, отказалась в очередной раз. Я лечу в Париж по делу, и в четверг — в Москву.

Вечером ужин с Марти Попадуром. Занимательно и полезно. Может быть, моя «Одноэтажная Америка» будет продана?

Вылет в Париж в 11:15. Доехал до Шереметьево без приключений, полет спокойный. Перечитал информацию по Белуччи, подготовил вопросы, потом смотрел «Гарри Поттер и дары смерти». Не читал ни одной книжки из серии про Поттера, но по уровню это похоже на «Волшебника из Оз» (не кино, конечно; американский фильм — шедевр, а это ерунда со спецэффектами и компьютерной графикой).

Долетел, поехал в гостиницу «Fouquet's», потом побежал на авеню Ваграм купить теннисные ракетки. Все нашел, в том числе банданы, которые искал столько времени без всякого успеха.

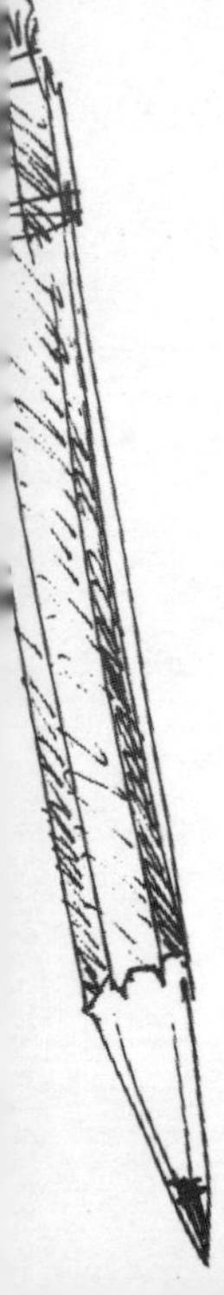

Звонил Ане и предупредил ее о съемках «Татлера», которые затягиваются: ехать к Белуччи надо не раньше 17:30. Приехал: улица дю Бак, 118. Громадный и очень красивый особняк XVIII века с совершенно потрясающим садом.

Белуччи снимается на ступеньках, спускающихся из салона в сад. У нее на поводке пять или шесть щенков-далматинцев. Она в какой-то немыслимой накидке из пушистых белых перьев. Съемками занимаются человек пятнадцать. Наступает перерыв, она узнает меня. Любезна и проста в общении. Извиняется за то, что заставляет меня ждать, и за то, что три раза переносила дату интервью. Идет переодеваться, чтобы продолжить съемки за «чайным столом». То же с щенками-далматинцами. Далее следует портретная съемка. И все.

Она умопомрачительно красива. Вполне по-итальянски: есть попа, есть бедра, есть сиськи. Глаз не оторвать. Рот чувственный до холодка в животе.

Совершенно не играет в звезду, когда говорит, смотрит прямо в глаза, думает, совершенно не глупа. Интервью получилось.

P.S. Особняк время от времени сдается для подобных рекламных и иных съемок. Иначе его, видимо, невозможно содержать. Таковы налоги на недвижимость.

Вылет в Бриндизи через Рим. Самолет в 5:50, встаю в 4:00. Полет спокойный. Прилетел во Фьюмичино точно по расписанию. Довольно бестолковыйаэропорт — как, впрочем, многое в Италии. Встретился с ребятами — Влад, Женя, Стас, Володя (они тоже летели из Москвы). В Рим прилетела Лена.

Дальше — в Бриндизи. Аэропорт маленький, но вполне аккуратный. Встречает нас водитель минибуса, на боках которого написано «ALBANO». Едем в его поместье. Жарко. Ландшафт плоский, как блин. Очень много оливковых плантаций. Едем мимо, а не через Бриндизи, дома сильно напоминают хрущевки. Проезжаем через маленький городок Туртуррано. Выглядит безрадостно: небольшие, без лица, дома в один-три этажа, ощущение, что здесь грязно. Сбоку появляется улица, по всей длине которой натянуты электрические гирлянды. Очевидно, это у них ночной Бродвей. Почему-то веет Диким Западом. Примерно через полчаса доезжаем до «поместья». Очень странное впечатление: огромное строение, состоящее из высоких каменных стен и зубчатых башен а-ля феодальная кре-

пость. Это и гостиница, и детский сад, и спа, есть бассейн, теннисные корты, ресторан, бар. Есть винокурня, винный подвал, небольшая церквушка. Множество изображений святой Девы Марии и других святых, Папы Иоанна Павла II. Довольно большое количество проживающих, в основном — итальянцев. И конечно, дом Альбано — просторный, но не отличающийся особым вкусом.

Сам Альбано заставил нас ждать минут сорок. Небольшого роста, плотненький, смуглый, длинные вьющиеся черные волосы. Лицо приятное, приветливое, улыбчивое. Очки. Неснимаемая шляпа «Борселлино». Дает прекрасное интервью — вдумчив, умен, выражает чувства. Отдает нам массу времени, всюду водит нас, устраивает полную экскурсию. Очень гордится построенным, показывая, часто приговаривает: «Bello?» Демонстрирует песок, привезенный с Красного моря, «Башню Любви», джакузи, бассейн, разные площадки, часовенку. Очень религиозен.

Подвал. Угощение красным вином местного производства «Платон» и «Тарас». Так себе.

Основное впечатление: добрый, приветливый, спокойный деревенский человек.

Обед: спагетти с помидорами, две бутылки вина (имени его отца), говядина, арбуз, ананас, кофе.

Жара адская. После экскурсии пошел в свой гостиничный номер: это мини-башня, мои апартаменты на втором этаже. Окна зашторены от солнца. Все помещение в камне, все предметы из оливкового дерева. Душно и липко. Душ — мечта (кстати, хороший). Уровень — четыре звезды, хотя нет Wi-Fi. Ложусь спать с обидой на «Apple» за то, что зарядное устройство не работает. Сплю сном мертвеца. Просыпаюсь в 4 утра.

В 5:00 едем в аэропорт, оттуда через Рим — в Турин, где должны встретиться со Спириным, Аней и Ваней.

В Турине нас ждут Мартини и Плащаница.

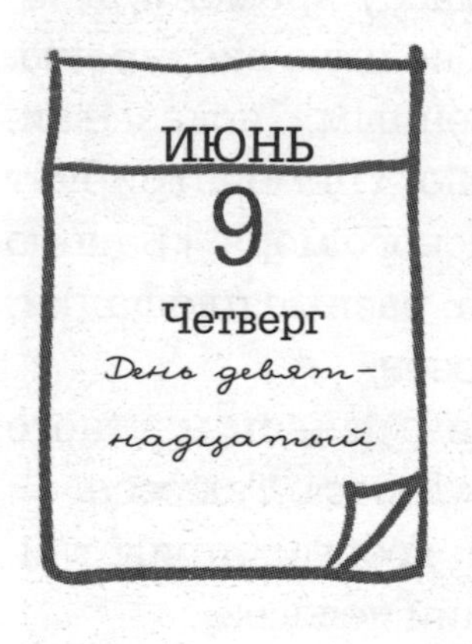

Опять встал в 4:00, выехали в 5:00, самолет в 6:50. Полет прошел нормально. Поболтали о том о сем, полетели из Рима в Турин, где нас встретили Валерий, Аня, Марио (муж Лены), который взял отпуск, чтобы поработать шофером. Первое впечатление хорошее: красивый, на итальянский лад, сицилианец. Чуть-чуть говорит по-русски.

Наша машина — светло-серая, довольно красивая «Рено». Пока за рулем Марио. Еще не дали ей имени.

Поехали в гостиницу «Principi di Piemonte» — бассейн, wellness, спа, но ничего особенного.

Ваня прилетел уставшим, прямо с корабля на бал, попросил дать ему минут сорок на душ и прочее. Едем в Дом приемов на заводе «Martini & Rossi». Город Турин не производит никакого впечатления. Какой-то не итальянский. Более-менее — улицы с аркадами, а так...

Это совершенно легендарная машина, которая участвовала в гонках «Формулы-1». Как в ней разместился Иван Ургант (которого нет на фото) — уму непостижимо

Отпрыск знаменитого рода Чезаре Мартини с девицами

Приехали. Размах колоссальный. Сам же наш герой Чезаре Мартини (почему-то русские коверкают его имя, говоря ЧезАре вместо ЧЕзаре. Ему точную характеристику дал Валерий: хлыщ средних лет. Слащаво-красивый, тщательно одетый (ослепительно белая рубашка с открытым воротником, темно-синий шелковый костюм), белозубая улыбка. Насколько я смог понять, занимается пиаром. Живет в Америке. Мил, но не более того. Интервью не представляет никакого интереса.

Съемки начинаются со сцены с гоночной машиной, в которой самое смешное то, как Ваня пытается сесть за руль. Затем интервью. После — посещение подвала-музея. Потом воз-

вращение в гостиницу, где я отдыхаю, а Ваня едет с Чезаре в какое-то кафе, чтобы поговорить о том, как в Италии клеят девушек (придумка Валерия).

Ужинаем в «Trattoria della Posta». В общем, вкусно, но средне. Закуска типично пьемонтская (сало, колбаса, жареные шкварки, рисовый салат). Затем следует паста (вкусная) и свинина al forno — совершенно так себе. Вино неплохое. Кофе отличный.

Все. Деньги отработали. Удовольствия никакого.

Завтра будем смотреть Плащаницу, потом едем в Венецию. Не удалось поговорить с Валерием насчет концепции, которая мне кажется странной.

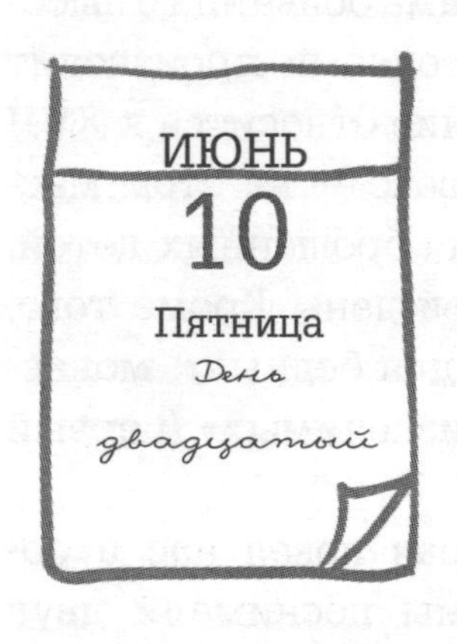

Плащаница хранится в соборе Святого Иоанна Крестителя в большом алькове за бронированным стеклом, в огромном прямоугольном ящике, куда закачан инертный газ для ее защиты. Люди подходят, молятся. Нас встретил священник — худощавый, в очках, вполне адекватный. Согласился, что у

Католической церкви есть серьезные проблемы («вызовы»). Как он сказал, девяносто процентов итальянцев хотят, чтобы их крестили, но истинно верующих среди них очень мало.

Плащаницу показывают раз в десять лет. Католическая церковь хранит молчание относительно ее подлинности.

Поехали в Венецию. В машине у нас с Ваней происходит дискуссия о вере. Его позиция: есть Всевышний, который все определяет. К Церкви относится с прохладцей, но религию признает. Предмет знает средне — это в лучшем случае.

Поговорили, потом посмотрели на компьютере михалковскую «Цитадель». Редкое безобразие. Нет слов.

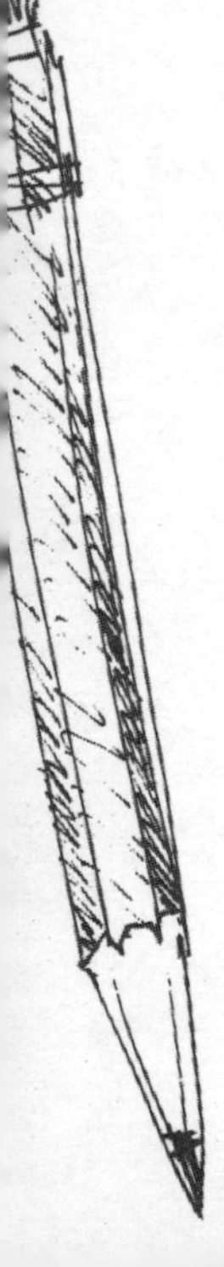

Приехали. Дальше — на водяном такси в гостиницу «Luna Baglioni». И оттуда сразу в больницу Ospitale Civile. Сама больница с высоченными старинными потолками производит сильное впечатление. Здание относится к XVII веку, но раньше — в XIV веке — на этом месте был построен приют для брошенных детей, который существует по сей день. Кроме того, здесь же была больница «для бедных», монастырь и отделение для «неизлечимых» (первый в истории хоспис?).

Очень симпатичный врач повел нас в родильное отделение, где мы поснимали двух новорожденных девочек-гражданок Венеции. Одну — Анну — Ваня взял на руки. Очень тро-

Древний житель Венеции, который как сам город тихо разрушается...

гательно. Врач сообщил, что в Венеции в год рождается около шестисот детей — это при населении в сто тысяч человек (!). Проблемы: молодые уезжают из города, потому что в нем нет для них работы.

Конечно, город невыразимо прекрасен, но его портят толпы туристов.

Очарование Венеции ощущается абсолютно во всем...

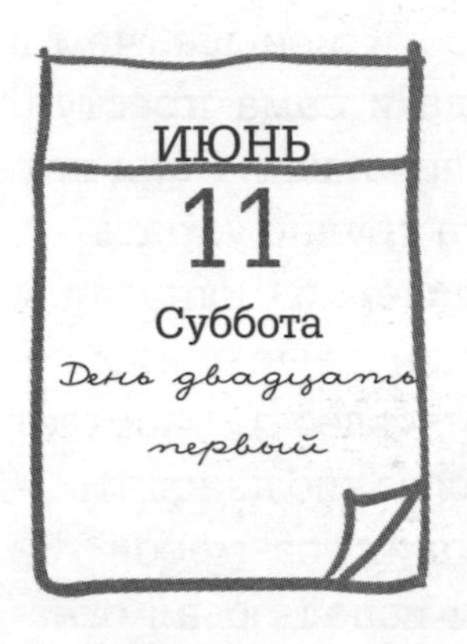

Утром — встреча с полицией. Принимает нас начальник полиции города — импозантный мужчина лет пятидесяти. В гражданском, хотя он в чине генерала. Рядом с ним очень красивая женщина в столь же красивой форме, подчеркивающей все прелести ее незаурядной фигуры. Блондинка (на севере Италии их много). Строгая донельзя, как и подобает полицейскому. Судя по словам началь-

В Венеции лодка — это как велосипед в Амстердаме или верблюд в пустыне

ника, в Венеции преступности меньше, чем в других больших городах, да и сама преступность иная: карманники, наркотики. Банд нет. Важно: преступнику отсюда трудно удрать.

Сели на полицейский катер и поплыли с майором (та самая блондинка) и еще одним полицейским. Ему тоже лет пятьдесят, работает в полиции тридцать лет, последние двадцать — в Венеции. Внушительнейших размеров. За двадцать лет лишь дважды использовал огнестрельное оружие: один раз стрелял в воздух, другой — на поражение. Очень колоритный. Замечательные слова: «Говорить надо медленно, думать — быстро».

Потом отвезли нас к пожарным. Начальник — маленький, очкастый, невзрачный, но симпатичный. Венеция — деревянный город, пожа-

Все-таки нет ничего грациознее гондолы...

Члены съемочной группы
держат меня «под колпаком»

роопасный (случай с пожаром «La Fenice»), все противопожарные лодки снабжены особыми насосами, чтобы прямо из лагуны и каналов брать воду. Но она соленая, что может нанести вред. По городу расположено более пятисот гидрантов с пресной водой.

Наша следующая встреча — с прямым потомком Дожей (с XIV века), корни его семьи — отсюда, ее история насчитывает уже тысячу лет. Изящный, учтивый, дает интервью по-французски. Возглавляет Совет по охране города. Очень переживает за его будущее, считает, что основная проблема — массовый туризм (более шестидесяти одной тысячи человек в день). Главная черта венецианца: неопределенность, переменчивость — словно вода, которая все время меняется.

Вечером плывем на Сан-Микеле. За нами приплыл на моторке священник. Когда-то его орден отвечал за кладбище и привозил туда усопших, теперь это бизнес, которым занимается похоронное бюро. Все определяется деньгами: в колумбарий — цена одна, развеять прах над городом — другая. Реальная могила очень дорога. После двадцати лет по решению администрации могут эксгумировать останки и поместить их в колумбарий, чтобы освободить место для другого. Сейчас там захоронено порядка ста тысяч человек. Наполеон объединил два острова и превратил их в кладбище Сан-Микеле, до этого людей хоронили близ церквей.

Самое отвратительное, что есть в Венеции, — это гондольеры. Они хамы, грубияны, алчны беспредельно, их интересуют только деньги. Хотели сделать интервью с гондольером, заплатили деньги, а все кончилось скандалом и руганью.

Мое решение проблем Венеции (для ее спасения):

1. Ограничить количество туристов до тридцати тысяч в день (конечно, все лавочники, хозяева ресторанов и гостиниц будут против, но тем не менее).

2. Создать несколько вузов для подготовки врачей, учителей, специалистов в области хайтека, художников и так далее, создать рабочие места для молодежи.

3. Убрать из города сомалийцев и прочих, торгующих фейк-сумками и так далее.

4. Запретить громадным лайнерам вход в лагуну.

5. Взимать плату с каждого человека, который посещает город.

Посещение монастыря, где якобы в 1220 году остановился святой Франциск Ассизский. Нас встречает брат Роберто — упитанный монах-францисканец, подпоясанный веревкой, на которой три узла, символизирующих три главных принципа францисканцев: бедность, послушание и воздержание. На правой руке у брата Роберто красуются явно дорогие часы...

Брат Роберто, член ордена францисканцев.
Признаться, не произвел на меня впечатление человека, живущего аскетом

Он произвел на меня впечатление человека, который отрабатывает номер.

Затем на очереди — шеф-повар, хозяин траттории «Al Covo». Симпатичнейший, высокий седой усач. Вместе готовили fritta mista. Здорово. Интересно. Вкусно.

Далее кафе «Florian» и его арт-директор. Тоже симпатяга. Венецианец в шестом поколении. Называет себя «исчезающим видом». Город, говорит он, погибает, не выдерживает наплыва туристов, все решают деньги, да и только. Водит по кафе: появилось в 1720 году, стало самым старым кафе в мире после того, как «Le Procope» в Париже превратился из кафе в ресторан.

Вечером накануне я в очередной раз сломал правый передний зуб, так что не должен улыбаться. Сообразил позвонить Ирине Строцци, которая пообещала устроить меня к дантисту.

Регата, парад, история, соревнование между Пизой, Генуей, Амальфи и Венецией. Довольно красочно, особенно аутентичные костюмы. Интервью с мэром: невысокого роста, седоватый, лет шестидесяти, типичный — в худшем смысле — политик. «Все хорошо. Туристы? Не проблема. Напротив, очень полезно, приносят много денег. Убывание населения? Не проблема, потому что не убывает. Природа, вода —

вот это проблема. А вообще-то — тьфу! Все хорошо, прекрасная маркиза». Я таких видел сотни. Тошнит.

От волшебной, таинственной Венеции впечатление тяжелое: тьма туристов, протискиваешься сквозь них, как сквозь заросли, — и это не преувеличение. Жуткое количество мусора, который прибивается к набережным Большого канала. Это невыносимо. Город гибнет — и не потому, что он постепенно уходит под воду, а потому, что его убивают сами люди — их алчность, тупость, близорукость.

Завтра выезжаю в 6 утра, чтобы поспеть к дантисту к 10:00. Предстоит: приготовление зайца в шоколаде у Строцци и мороженое в Сан-Джиминьяно.

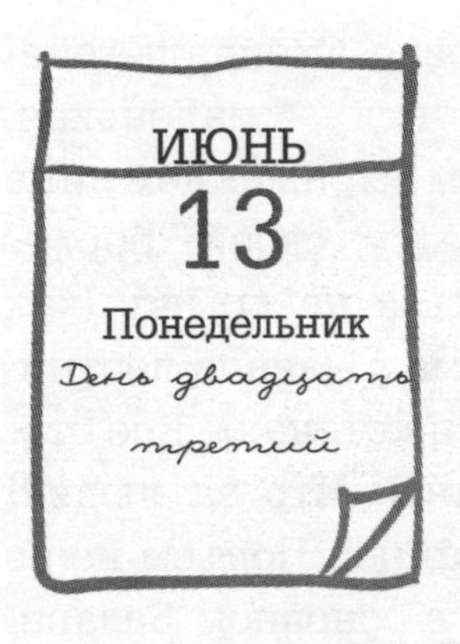

Дантист оказался отличный. Встретили меня Ирина и Наталья Строцци. Денег с меня не взяли.

Поехали в поместье. Готовили с Ириной зайца (вернее, кролика — не сезон зайцев) в шоколаде. Супер! Потом ели-пили, прошлись по дворцу с ее мужем, князем Джироламо. Далее отправились в Сан-Джиминьяно к чемпиону мира по деланию мороженого. Очень веселый, колоритный человек. Там же — магазин, где торгуют колбасой из кабанины. Затем Ваня уехал в Форте, а я во Флоренцию. Фильм отличный. Радость: нашел будто бы потерянный итальянский телефон. Ура!

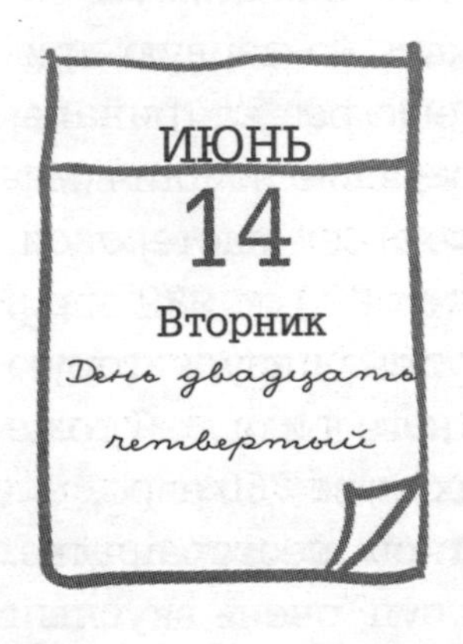

В 8 утра должны встретиться у Санта-Мария-дель-Фьоре. Пошел пешком — минут пятнадцать. Город пустой и прекрасный. Пришел на площадь в 7:30. Кафе только начинают готовиться к приему первых посетителей. От окружающей красоты можно, словно Стендаль, онеметь. В восемь подошел гид — маленькая, бледная, со страдальческим выражением лица женщина, которая утопает в своей форме. Итак, начинаем подниматься на крышу (как велел Дзеффирелли). Прямо у начала лестницы таблички: «Не пишите на стенах». Все стены сверху донизу исписаны. Что за люди?! Вспоминается Холден Колфилд. Подъем не из легких. Потолок расписан в основном Вазари. Потрясающей красоты. Добираемся до смотровой площадки — высота девяносто один метр. Вид на город совершенно умопомрачительный. Спасибо, Франко! Уже тучи народа. Спуск сильно затруднен.

Потом пьем кофе на площади. Едем к сапожнику, Стефано Бемеру. Симпатичный человек. Малюсенький магазин для заказа обуви неземной красоты. Стоит от двух тысяч евро. Порядок: 1) снимается мерка; 2) минимум через два месяца надо приехать на первую примерку, потом через месяц еще раз на финальную. Посетили мастерскую. После пошли в магазин готовой обуви, тоже со своей мастерской, кожей, мастерами. Цена — от 890 до 980 евро. Ваня не выдерживает, покупает пару, которую должны подправить по его ноге к июлю. Я тоже покупаю — с большой скидкой, за 750 евро.

Обед — рядом в крохотном ресторанчике. Вкуснейший крестьянский суп, очень вкусный

ростбиф, зеленый салат, стакан красного вина «Maison». Всего десять евро.

Я там забываю шляпу!

Едем в гостиницу на полтора часа, потом к художнику-копиисту. Чистой воды наебательство, не говоря уж о потерянном времени.

Вечером предстоит флорентийский стейк у какого-то знаменитого мясника-шефа. Посмотрим.

До мясника ехать порядка тридцати пяти километров. Приехали чуть позже 20:00. Солнце мягкое, свет совершенно волшебный — мечта художника. Пейзаж красив до невозможности: виноградники, пинии, холмы — удивительное зрелище.. Мясная лавка — на первом этаже. Не успели войти, как вбежал хозяин, налил нам по бокалу «Кьянти», подал тарелку с нарезанной колбасой и маслинами. Сам — веселый, громкий, кудрявый, усатый, большой, колоритный; уже сорок два года как мясник (начал в тринадцать лет). На входе в лавку — памятная доска 2001 года: «Здесь умер флорентийский стейк» (напоминание о коровьем бешенстве). Флорентийский стейк весит 2–2,5 кило, это кусок красивейшего мяса. Готовится на гриле: шесть минут с одной стороны, шесть — с другой и пятнадцать — «на попа». Все. Ничего более.

Ресторан расположен наверху, под крышей и на открытой террасе. Много столов, для нас приготовлен отдельный. Гриль — огромное сооружение пирамидальной формы. «Это моя церковь», — говорит хозяин. Мясо бесподобное, такого я не ел никогда. Конечно, тому, кто любит мясо хорошей прожарки, здесь делать нечего.

Хозяин Дарио Чеккини неплохо говорит по-французски. Очень нами доволен. Подача стейка — целый спектакль, который он разыгрывает мастерски и с удовольствием.

Во время ужина, еще до стейка, нам подают «сашими» (совершенно сырое нарубленное мясо), а после «кусок жопы»; кроме того, сырые овощи, «Кьянти» и граппу — с фокусом, который исполняет один из поваров. Думаю, получили хорошие кадры для фильма.

Сутра — коридор Вазари, который соединяет Палаццо Веккьо с Палаццо Питти. Был построен по приказу Козимо I Медичи и проходит над мостом Понте Веккьо. Все стены завешаны автопортретами самых разных художников, в

том числе вполне великих. Все это организовала для нас Ирина Строцци.

После коридора — stand-up с Ваней на мосту. Еле выдержал. Бесконечное количество острот, в том числе плоских и совершенно не смешных, вызывает у меня дикое раздражение.

Пошли к переплетчику. На самом деле очень интересно — не только и не столько сам процесс, сколько стремление человека сохранить умирающую традицию.

Потом небольшой отдых в гостинице, после чего поехал на встречу в Болгери. Довольно вялый разговор в машине о Венеции, Строцци, Тоскане. Устал. Жарко. Кроме того, раздражен.

Доехали до Кастаньето Кардучи. Нахлынула волна воспоминаний. Тяжеловато. Гостиница ничего, полно русских. Ужинал с Ваней и Валерием. Дико хотел спать. Одно хорошо: поговорил с Катей по Скайпу.

Завтра — что-то в Болгери, потом едем в Рим.

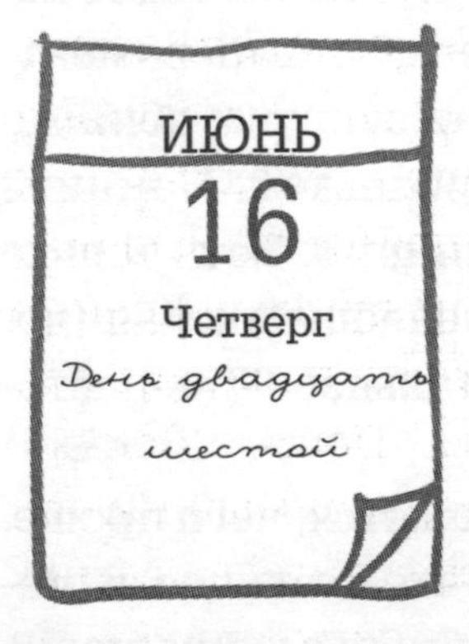

Поехали в городок Болгери — это рядом с Castagnetto Carducci, совсем недалеко от дома Адрираны Мила, женщины, у которой я снимал дома еще в «старой жизни». Нахлынула в связи с этим целая волна воспоминаний. Было тяжеловато. Болгери — малюсенький городок, где, как показалось, больше едален, чем чего-либо другого. Встретила нас совершенно замечательная итальянская женщина — довольно высокая, стройная, с крупными и яркими чертами лица. Она хозяйка ресторана и винотеки. Вместе с ней приготовили суп, который рекомендовал нам князь Строцци. Работали с Ваней на кухне. Потом ели и пили. Суп — вкуснейший. Вино, как говорят французы, buvable. Не забыть, что до этого съездили к крестьянам за продуктами — все свое. Я, как оказалось, так соскучился по свежим овощам, что напихался вкуснейшими помидорами, сладким перцем огромного размера и сладчайшим луком.

От городка веет покоем.

Поехали в Рим, но с заездом в пиццерию. Ехали четыре часа, в пиццерии были в девятом часу вечера. Там почти пусто. Выходит хозяин — седой, усатый, веселый, темпераментный, выходит его толстенная супруга, обнимаются с Марио. Сын — за прилавком. Чемпион мира по «акробатической пицце». Есть только одна настоящая пицца — неаполитанская (добилась получения DOC), остальное — не настоящее, не подлинное.

Делаем с Ваней пиццу. Кажется, чего проще. Ан нет. У нас получается что-то куцее и малопривлекательное. Но одну более или менее

Чемпионы мира по пицце Альфредо и его сын Марино Фольеро. Они приехали в Рим из Неаполя, где делают лучшие в мире пиццы

сносную я таки изготовил, а потом съел на неаполитанский лад — сложив вчетверо «карманом», за что получил от хозяйки подарок в виде фартука, майки, бейсболки и наручных часов с маркой заведения.

Тем временем народу набилось видимо-невидимо, какой-то детский праздник. Бедлам.

Еду в «Hassler». Падаю замертво.

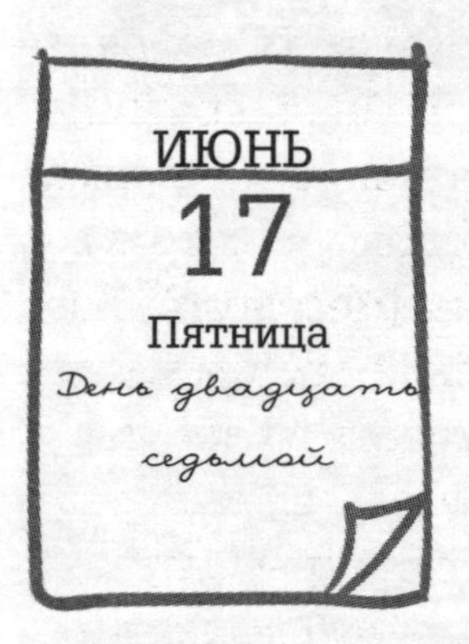

Пришлось уехать в Женеву по личным делам на один день.

Едем в Барбарано Романо. Средневековый городок: три улицы, одна тысяча жителей, дома почти все XV—XVI веков. Сюда нас позвал Марко Мюллер. В крестьянском доме делаем очередной суп. Очень

вкусный. Колоритный хозяин — «умеренный фашист». Да и хозяйка хороша.

Вообще день очень удачный, если не считать того, что в очередной раз сломал зуб об вишневую косточку. Срочно звоню Гале Букаловой, она — Иезуитову: дантист будет ждать меня в 20:00. (Он когда-то был оператором в бюро НТВ, а потом просто остался в Италии, где «вольным стрелком» выполняет разные заказы).

Небольшой stand-up у «дома с призраками» и разговор с добровольцами «Охраны населения». Это тебе не народная дружина. Производят реальное впечатление — форма, автомобили, обучение. Молодцы. А потом вообще блеск: выпивание вина (местного), поедание вишен, сыра и колбасы и сбор местных стариков, которые пришли играть в «десять» и петь. Это полнейший восторг.

Поехал и к дантисту — отличный мужик, все сделал, буду надеяться, что зуб выдержит.

Ужинали с Валерием и Аней у Букаловых. Было, как всегда, очень симпатично.

Завтра завершаем Рим.

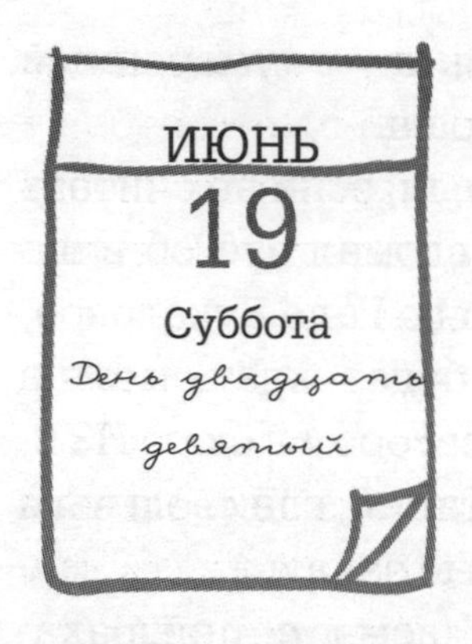

Первая встреча в 11:00 в «Harry's Bar» на Виа Венета. Нас там ждет «Король папарацци». Хорош до умопомрачения: оранжевый жилет на розовой сильно расстегнутой сорочке, коричневые брюки и начищенные до зеркального блеска красивейшие туфли красновато-оранжевато-коричневого цвета. Курит одну от другой — четыре пачки в день. Ему шестьдесят пять лет. Редковатые крашеные волосы («с седыми в ночные клубы не пускают»), большие навыкате карие глаза, прямой нос, тонкие усы. Жестикуляция и гримасы бесподобны. Очень смешной, отлично все понимает. Учит: «Никогда не надо влюбляться. Влюбишься — и делу конец, ты связан и привязан». Самый итальянец из пока что увиденных нами итальянцев.

Потом Форум. Жара несусветная. Народу — тьма. Несколько stand-up и проходов.

Обед.

Встреча с четой Мартини (никакого отношения к известной семье). Она англичанка, но уже пятьдесят лет в Риме. Он итальянец, архитектор, переехал в Рим из Флоренции, когда ему было три года. Разговор очень интересный и предметный. Оба любят Рим, но не любят римлян, которым на все наплевать: «Все, что дальше ладони от меня, я ебал».

Около 20:00 приехали в Асколи Пичено (по совету Маргериты Хак). Ехали почти три часа. Остановились в гостинице «Palazzo Guiderocchi». У меня грандиозный номер: высоченный, весь каменно-мраморный. Что за городок? Завтра пойму больше.

Утром вышел на Пьяцца дель Пополо и совершенно опешил. Красота! Вот молодец Маргерита Хак! Городок прелестный, весь погружен в историю — драматичную, кровавую, героическую. Смотришь: на площади — три кафе, за столиками местное население не спеша пьет кофе, читает газеты, и все это происходит у подножия поразительного собора XII века! В его тенистых альковах сидят подростки (прячутся от солнца). Ну как это может не влиять на формирование людей?!

Провели несколько часов: stand-up, «жанр», разговоры со стариками (здорово!). И поехали в Альберобелло смотреть на трулли (cabana). Что такое «трулли»? Лучше один раз увидеть, чем сто раз услышать. Посмотрите фотографии в книге...

Ехать четыреста шестьдесят километров. Но добрались без проблем. Первое впечатление очень приятное. Люди приветливые, вежливые, улыбчивые, еда вкусная.

Ближе к 23:00 прибыл Ваня. Вспомнить: разговор со Спириным. Прямо беда — все симптомы «звездной болезни». Скорее всего, больше он с нами не поедет. Все мучаюсь: поговорить с ним, написать ему? Или ну его?

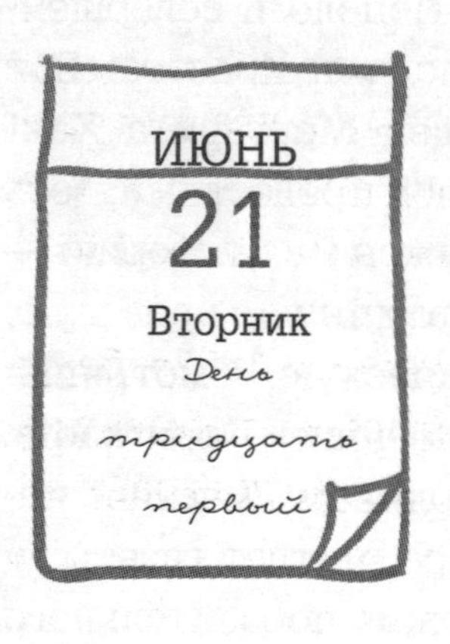

Альберобелло. Приехали ночью, когда за окнами машины не видно ничего. Гостиница называется «Le Alcove» — на французский лад. Привели меня в трулло при гостинице. Ну, ничего особенного, хотя и любопытно: каменное иглу. Тут же рядом поужинали в маленьком ресторанчике. Люди необыкновенно приветливые, услужливые, улыбчивые.

Утром отправились в ресторан «Il Poeta Contadino», владельцем и шеф-поваром которого является Марко Леонардо. Готовим oriette, это паста в форме маленьких ушек, в соусе из растворенных в оливковом масле рыбок (!), ну и так далее.

Потом пошли смотреть трулли. Очень любопытно. Главное: построены без цемента, без скрепляющего материала. Как только приближался сборщик налогов, чтобы взимать плату за недвижимость (это был представитель неаполитанского короля), тут же выдергивали краеугольный камень, и весь дом рушился!

Потом пообедали у господина Леонардо. Вообще, вкусно, но лишний раз убеждаюсь в том, что итальянская кухня лишена утонченности.

Все. Едем в Неаполь.

Приезжаем часа через четыре, два из которых я проспал. Город большой. Первое яркое впечатление — горы мусора. Его не убирают (почему?!).

Гостиница «Hotel Grand Vesuvio 1882», безусловно, лучшая из всех, в которых я побывал за время этой поездки (и уж точно не уступает ни «Hassler», ни «Regency»).

Капри. Ничего интересного. Какой-то ресторан высокой кухни, который не произвел впечатления. Затем — совершенно пустой разговор с Ваней о кухне и об Италии. Бесконечные дурацкие остроты. Хоть одно сделал — показал им виллу Сан-Микеле. Не уверен, что прочувствовали...

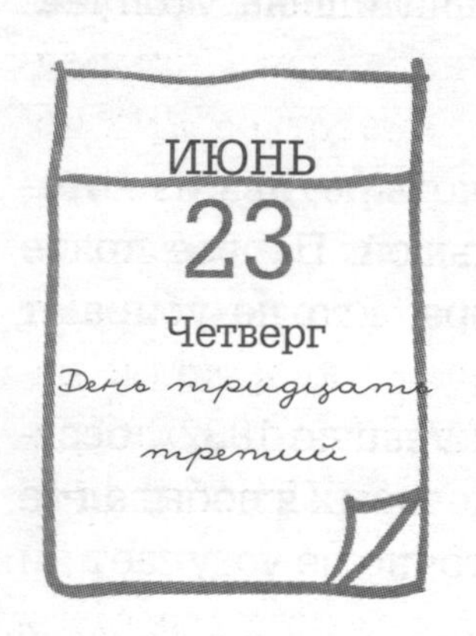

Вот это был день!
Утро: начальник полиции. Красавец сорока четырех лет, умница, хорошо слушает, толково говорит. Масса интересного: его давний разговор с главарем Каморры; тридцать процентов населения Неаполя имеют судимость. Сын полицейского, жена — дочь полицейского. Объяснил (наконец-то!) разницу между мафией (cosa

nostra) и Каморрой. Коза ностра — антигосударственные, они внедряют своих людей в органы власти, им нужна власть. Каморра — это деньги и только деньги (не забыть ндрангету в Калабрии). Словом, очень интересно. Он согласен, что государство, власть во многом повинны в преступности.

В 14:30 встреча с бывшим каморристом, ныне киноактером, Сальваторе Стриано. Встретились на площади Данте (вообще, город очень и очень красивый, но и невероятно запущенный).

Поехали с ним в его квартал — Испанский квартал — это что-то! Узенькие улочки, дома-трущобы, сотни людей (в том числе подростки) снуют на мотороллерах — по двое, по трое. Случай: полицейский останавливает мотороллер, на котором сидят трое подростков. Грозно: «Почему вас трое?!» Ответ: «А потому что четвертый не помещается». На мотороллерах все: девушки, молодые женщины, старухи, тонкие, толстые. Пришли в жилище — квартирой назвать нельзя. Веет нищетой. Разговор потрясающий. Он довел меня до слез. Правда, я его тоже.

Вечером ужинаем с ним и с его друзьями и женами. Не забыть о ребенке в этом жилище, о матери и отце, о гостеприимстве и бутылке кока-колы.

Ужин. Думаю, второго такого не будет. Сам плюс четверо друзей. За щеку хватают (знак симпатии), говорят на диалекте, называют меня «the bigga boss», веселые, теплые, но... не дай бог.

о—о

Местный юмор — таксист переспрашивает: «Вам в гостиницу или на вулкан?»

Представление о деньгах. Другой таксист: «Гостиница у вас дорогая? Неужели сто евро за ночь?» Язык не поворачивается назвать реальную цену.

Будто попал в кино Феллини.

Отношение к местной власти: «Савьяно (мэр Неаполя) — говно, предатель, вместо того, чтобы помочь, только зарабатывает на нас. Шеф полиции — молодец, может ходить без охраны, никто не тронет. А Савьяно ходит с охраной и вечно прячется».

Уйма впечатлений, это незабываемо (вспомнить о том, что произошло с начальником полиции).

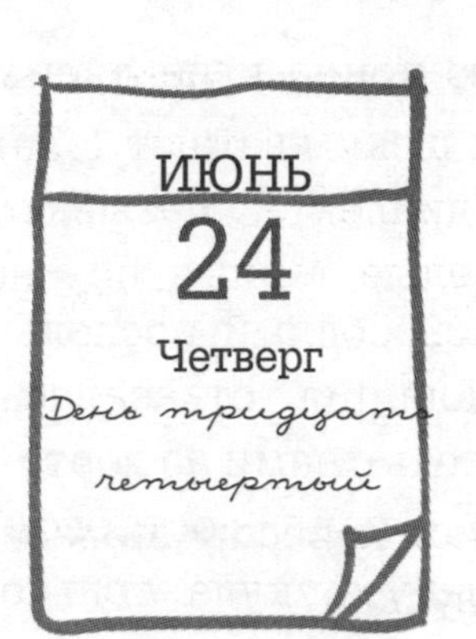

Поехали в Равелло. Прав был Гуэрра, очень красиво, но не более того. Stand-up, и, собственно, все, если не считать того, что ступни прямо горят, так больно, что невозможно ходить. Что это — совершенно не понимаю.

Полетим к Марио в Рим. Чуть не опоздали на самолет.

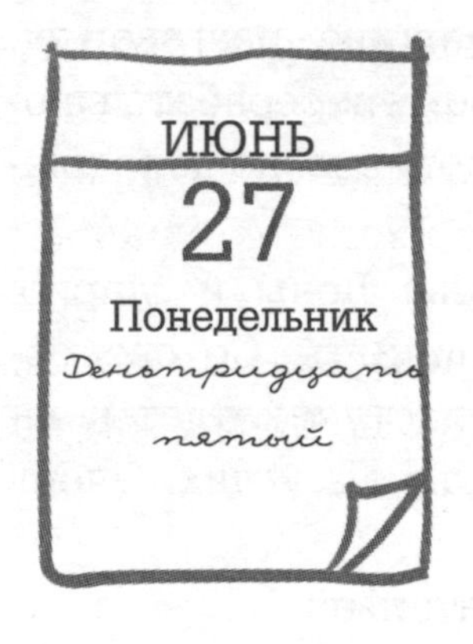

Прилетел в Катанию, где меня встретил водитель Витторио. Похож на французского комедийного актера Луи де Фюнеса. Довольно прилично говорит по-французски. Поехали в Таормино. Потрясающая гостиница в бывшем монастыре XV века.

Потом проезд на машине с Ваней — разговор о машине (будто это начало путешествия), дали ей имя «Catherine/Caterina» (вспомнив Екатерину Медичи, жену французского короля Генриха II). Ваня без конца и не очень удачно острит.

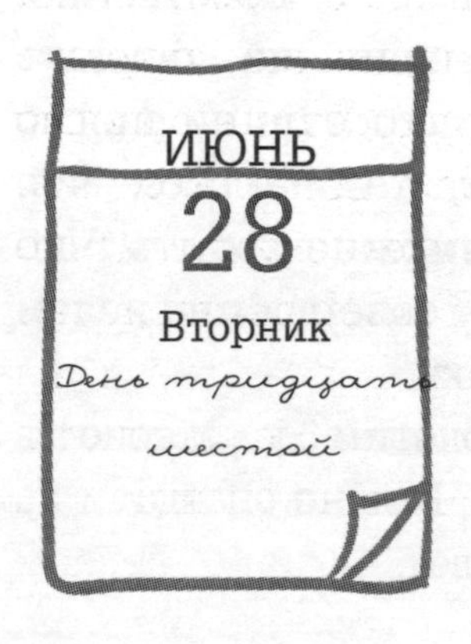

День свободный, поскольку полиция отказалась полететь с нами на вертолете над островом Лампедуза, куда только что высадились восемьсот потенциальных иммигрантов из Африки. Так что плавал, читал, загорал, думал.

Во второй половине дня — новый проезд на машине, разговор об Италии, мой stand-up о нефтеперерабатывающем заводе «ЛУКойла». Противно, но долг платежом красен.

Вечером — ужин в семье Лены и Марио. Замечательно. Человек тридцать. Со свекровью Лены вместе готовим пасту и котлеты, завернутые в лимонные листья, на углях. Очень вкусно и весело.

Прощаемся с Ваней и Натальей.

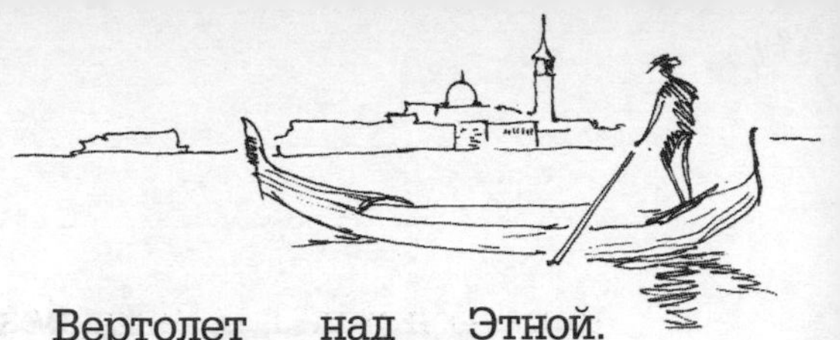

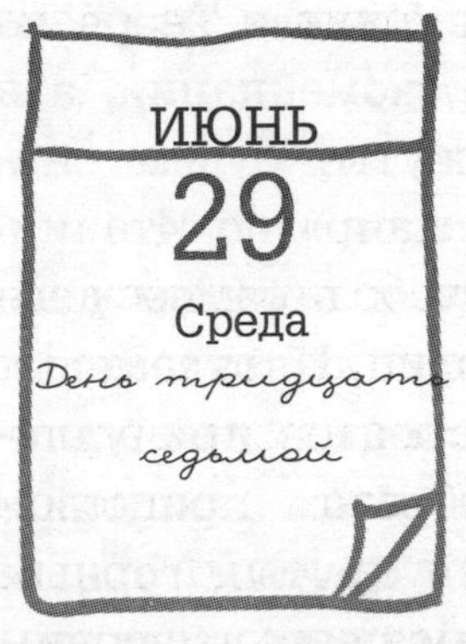

Вертолет над Этной. Ничего особенного, хотя и необыкновенно красиво.

Потом так называемый «сицилианский завтрак»: эспрессо, granite, бриошь, ледяная вода. Конечно, «граните» звучит изящнее и интереснее, чем «мороженое» — хотя на самом деле это и есть мороженое. Не внушаеть, как сказал бы незабвенный Хрюн Моржов.

Далее — бензоколонка «ЛУКойл», делаем вид, что заправлялись на трех. Всего их на Сицилии тринадцать. Затем — съемки завода, и едем в Палермо, куда прибываем в 9 вечера. Ужинаем хором в местной харчевне, которая знаменита тем, что в ее меню — семьдесят одно мясное блюдо.

Утром отправляемся в город Монреале, который примыкает к Палермо. Будем смотреть собор. Это нечто феноменальное. Запомнить: норманны, Вильгельм II, образование государства Сицилия.

Потом — ресторан и паста по рекомендации Дольче. Паста с сардинами — это самое вкусное из всего, что я ел за наше путешествие.

КОНЕЦ... почти.

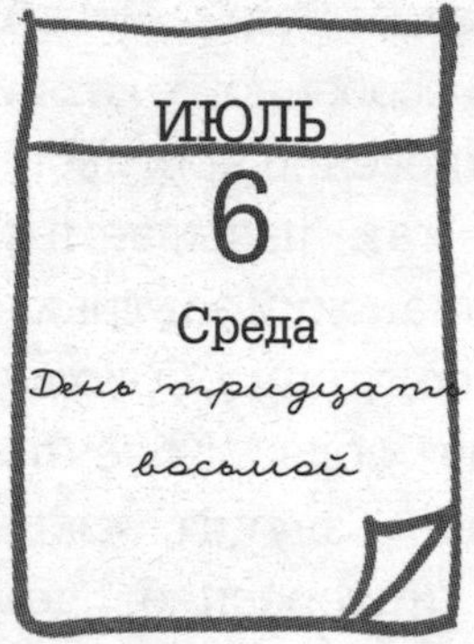

Едем в Чинкве Терре по моей рекомендации, а в промежутке будем снимать «жанр» по Италии. Вот это и в самом деле буквально «Пять земель», пять городков, причудливым образом прицепившихся к крутым горным склонам, резко уходящим вниз в море.

КОНЕЦ

ВЛАДИМИР

ПОЗНЕР

Прощание
с иллюзиями

«Поедемте
в Англию»

ЭКСКЛЮЗИВНЫЕ БИОГРАФИИ

Жанна Агалакова
Все, что я знаю о Париже